Au pays
des kangourous

GILLES
PARIS

Au pays
des kangourous

ROMAN

À Laurent C.
À Janine B.

Ce matin, j'ai trouvé papa dans le lave-vaisselle.

En entrant dans la cuisine, j'ai vu le panier en plastique sur le sol, avec le reste de la vaisselle d'hier soir.

J'ai ouvert le lave-vaisselle, papa était dedans.

Il m'a regardé comme le chien de la voisine du dessous quand il fait pipi dans les escaliers. Il était tout coincé de partout. Et je ne sais pas comment il a pu rentrer dedans : il est grand, mon papa.

J'en ai oublié mon petit déjeuner. Je ne savais pas quoi faire. Maman était repartie au pays des kangourous et, à chaque fois qu'elle voyage, elle nous demande de pas la déranger à cause du décalage horaire. Quand elle est dans le salon, avenue Paul-Doumer, elle ne veut pas qu'on la dérange non plus à cause du livre qu'elle lit, même que c'est pas un livre que papa a écrit. Ou alors elle parle à une copine sur son portable et elle fait un geste de la main comme si elle chassait une mouche ou un moustique, sauf que la mouche ou le moustique, c'est moi ou papa. On tourne autour, mais on ne sait pas trop comment l'approcher. Et puis des fois qu'il viendrait à maman l'idée de nous écraser entre ses mains... Elle n'embrasse ni papa ni moi. Elle nous éloigne avec ses gestes et le pays des kangourous.

J'ai dit : « Ça va papa ? », papa n'a pas répondu.

Il a caché un peu plus sa tête dans ses bras.

Alors je suis sorti de la cuisine. J'ai décroché le téléphone et j'ai appelé Lola.

« Papa est dans le lave-vaisselle, je fais quoi ?

— Papa est où ?

— Dans le lave-vaisselle, je crie.

— J'arrive, mon chéri. Ne bouge pas. »

Pour aller où ?

Lola, c'est ma grand-mère, la maman de papa. Elle est vieille, mais elle est super-cool. Je dors dans son lit et je peux manger autant de bonbons que je veux. Le papa de mon papa n'existe pas. Enfin, c'est ce que maman a voulu me faire croire. Comme si, à neuf ans, on était stupide. Lola qui aurait fait un petit jésus toute seule, et puis quoi encore ! Ce grand-père que je n'ai jamais rencontré n'a pas épousé Lola. Il a juste reconnu mon papa quand il est né et plus jamais personne ne l'a revu. Lola dit que ce n'est pas bien grave et qu'il est sûrement au volant de sa décapotable ou dans un casino, noyé dans son double whisky. Le verre doit être géant, sinon je ne vois pas trop comment il pourrait se noyer dedans. Quant aux parents de maman, ils sont morts si jeunes que papa ne les a jamais rencontrés. Entre Lola et maman, ce n'est pas le grand amour, elles se disputent au téléphone. Lola aimerait bien lui dire des tas de choses désagréables, mais maman n'est pas souvent à la maison.

Pour éviter que Lola lui dise des tas de choses désagréables.

Le métier de maman, c'est de voyager en Australie. Elle est directrice de marketing chez Danone.

Oui, le yaourt. Alors, quand je suis triste et que maman me manque, je vide six yaourts à la pêche, lentement, à la petite cuiller, et je l'imagine chevauchant un kangourou dans le bush, jusqu'à ce que le sourire revienne sur ma bouche. Le bush, dans le dico de papa, c'est la forêt australienne grande comme huit mille fois Paris.

Heureusement, maman garde toujours son portable sur elle. C'est pratique si elle se perd.

Lola sonne à l'interphone, on dirait qu'elle s'est endormie dessus. J'ai déjà ouvert la porte de la maison et je me penche au-dessus de la rampe pour la voir monter. Clac. Lola vient de faire une photo. Elle finira dans un joli album où mamie écrit la date et l'endroit avec des crayons de couleur. Lola aime beaucoup les couleurs. « Trop », dit maman. Ses cheveux sont roux, ses robes jaunes ou vertes ou rouges ou tout à la fois. Sur l'épaule, elle porte un énorme sac à paillettes où elle a mis toute sa maison dedans. Un parapluie violet s'il se mettait soudain à pleuvoir. Un appareil photo, on ne sait jamais, au cas où Johnny Depp et Catherine Deneuve bavarderaient sur le trottoir d'en face. Une trousse à maquiller sa bouche bien rouge, ou ses joues, ou ses ongles, ou le bout de mon nez. Une autre trousse pour recoudre les boutons qui s'envolent des chemises ou des pantalons, avec des fils de toutes les couleurs, les aiguilles, les ciseaux et le dé à coudre pour éviter de se piquer le doigt. Une lampe de poche, très pratique quand on sort du cinéma, pour ne pas louper les marches. Plein de magazines pour passer le temps et en savoir plus sur les stars qui se confient à papa et signent à sa place sur les couvertures des livres. Du chocolat en tablette pour moi, pour elle, pour papa.

À se demander qui en mange le plus ! Une bouteille d'eau d'un litre. Évian, à cause de la pub. Et, tout au fond, ses porte-bonheur : des cailloux ramassés quelque part en Afrique, un flacon de sable, celui d'Alcudia, où nous allons tous les étés, en Espagne. Et puis un trousseau de clefs, avec au moins six porte-clefs, un chien, un ours et trois grenouilles en peluche. En tout cas, aucun kangourou dans le sac. Lola, c'est les grenouilles. Elle adore. Elle en a au moins une centaine dans son appartement. Toutes mortes, bien sûr. Les grandes personnes adorent collectionner des tas d'objets qui ne servent à rien. Et des fois j'ai peur de toutes ces grenouilles mortes mangées par la poussière. Je m'attends à ce que l'une d'entre elles exécute un saut périlleux pour que je la regarde vraiment. Alors je les ignore en fermant les yeux. Je me bouche aussi les oreilles. Je n'ai pas envie de les entendre se plaindre de la saleté qui leur fait un œil borgne.

Lola me pousse de sa main droite et me caresse avec ses yeux. On est dans l'urgence mais, elle, ça ne l'empêche pas d'être douce avec moi. Papa, lui, est trop occupé pour me dire « je t'aime ». Il doit se demander comment il va bien pouvoir sortir de là.

« Depuis combien de temps s'est-il enfermé dans le lave-vaisselle, ce nigaud ? demande Lola.

— Je ne sais pas, mamie, je... »

Je n'ai pas fini ma phrase que Lola entre dans la cuisine.

« Paul, franchement ! Allons, sors de là, voyons ! »

Mais papa est aussi bavard qu'un muet. C'est à peine s'il a levé les yeux et, dedans, c'est du gris sombre. D'habitude, c'est vert, un vert « couleur de feuille », murmure maman les jours avec. Mais elle n'a rien dit de pareil depuis longtemps.

Lola s'agenouille, lui parle si doucement que j'entends rien. Papa se déplie, sort une jambe, puis l'autre. J'ai détourné la tête, parce que je le vois pleurer, vilaine pluie. C'est la première fois que je vois mon papa pleurer. Il n'est pas tombé de vélo pourtant ! Moi, je pleure avant la chute. J'ai trop peur de me faire mal. Sur l'épaule de Lola, les larmes de papa s'en vont dans le grand sac. Bientôt tout sera noyé et le flacon de sable retournera à la mer.

Papa relève la tête, se cache la figure avec ses mains et pleure à grand bruit sans s'arrêter. J'ai peur. Même dans les films catastrophes que j'adore, quand le héros perd la femme qu'il aime et tous ses copains, jamais il ne pleure autant. J'espère que ce n'est pas à cause de moi. J'ai bien rangé ma chambre, mon bulletin n'est pas trop mauvais, je ne fais plus pipi au lit et je n'ai pas non plus fumé la cigarette que me tendait Jérémy, hilare. Ça ne sentait pas bon et je n'en ai pas parlé à papa. Peut-être l'a-t-il appris...

« Va dans ta chambre, mon petit Simon, me dit mamie, je dois parler avec Paul. Je viens te chercher quand c'est fini. »

C'est toujours comme ça avec les grandes personnes. Quand j'aimerais être là pour tout comprendre, je dois m'en aller ailleurs comme si j'étais de trop.

Dans ma chambre, j'hésite. Jouer avec ma nouvelle DS ? La Nintendogs où Mike, mon chien boxer, a bien besoin d'être shampouiné puis lavé à la brosse ? Appeler Jérémy, mon meilleur ami ?

Fermer les yeux et rêver ? Voler dans les airs au-dessus du bush et prévenir maman qui ne veut pas être dérangée ? Je choisis de m'allonger sur mon lit. Je ferme les yeux. J'adore ça. Je peux le faire n'importe où. Pas besoin d'un lit pour fermer les yeux et rêver.

Je cours sur la plage d'Alcudia tout au bord de l'eau. Je dépasse l'hôtel et sa jolie terrasse où nous prenons le petit déjeuner, les pieds nus sur la pierre chaude. Le soir, maman aime bien y boire un Martini blanc, papa du Get 27, et moi un Coca. Lola n'y vient plus jamais. Elle m'a dit qu'elle y allait bien avant nous avec celui dont on ne doit pas prononcer le nom et qui lui a offert son plus beau cadeau, papa. Bientôt, il n'y a plus rien, que du sable tout autour de moi. Je dépasse les vieux hôtels allemands en béton, leurs pontons qui s'avancent sur la mer avec les poutres en métal enfoncées sous l'eau qu'il faut enjamber sans tomber. Tout autour de moi, juste le sable, la mer et, au loin, des arbres géants qui me font trembler et vers lesquels je n'oserai pas aller. J'ai peur du noir et des forêts où se cachent forcément des monstres horribles. Je cours toujours, les pieds nus fouettant le bord de l'eau, avec un ciel comme une cloche à fromages qui vient coiffer la mer.

La voix forte de Lola me ramène avenue Paul-Doumer. Je descends les escaliers en bois avec la rampe en corde pour la main de maman qui a peur des marches. J'espère qu'au pays des kangourous il y a aussi de belles rampes en corde pour la rassurer.

« Simon, j'ai appelé ce bon docteur Clerget, qui a accepté de nous recevoir en urgence. J'emmène

Paul chez le médecin. Tu gardes la maison, ce ne sera pas long. »

Papa s'accroche au bras de Lola, il a l'air plus vieux qu'elle. Il ne me regarde pas, il ne regarde rien, d'ailleurs. Jour de tempête.

Garder la maison ? Mais il n'y a personne à part moi. J'aurais bien voulu avoir un chien qui remue la queue tout content de me voir, comme Franklin, le chien de Jérémy, mon meilleur copain. Même qu'il faut fermer la bouche quand Franklin vous embrasse sinon c'est un baiser d'amour avec la langue. Pouah. Mais maman n'a pas voulu qu'on en ait un à la maison. Je me demande bien pourquoi. Elle ne l'aurait vu que quelques jours tous les trois mois. Au pire, je l'aurais laissé à Jérémy quand elle serait revenue, Georges aurait eu un copain pour une semaine quatre fois par an et moi le reste du temps. Oui, je l'aurais appelé Georges, comme un ami à moi. Un Georges qui m'aurait suivi partout où que j'aille, assis sur mon fauteuil, couché contre moi sous la couette, avec toujours la petite lumière qui empêche la nuit noire de tomber dans ma chambre. Je lui aurais appris mon jeu préféré, fermer les yeux et rêver. Je l'aurais descendu matin, midi et soir avec le petit sac-poubelle pour ramasser la grosse commission, comme Jérémy avec Franklin. Mais maman n'a pas voulu. Papa a bien essayé de la convaincre.

« Je déteste les chiens, a dit maman. C'est sale. Et on n'est pas libre avec un chien. »

Papa n'a rien répondu, mais il a regardé maman avec ses yeux gris. Moi, je savais bien ce que ce regard-là essayait de faire comprendre. *On ne peut rien faire avec un chien ? Mais que fait-on sans le*

chien ? Pourquoi est-ce qu'on ne va plus au
cinéma ? Ou pique-niquer les jours de beau temps,
derrière le chalet du bois de Boulogne ?

Papa ne se dispute plus avec maman depuis
longtemps. Comme si les mots venaient à man-
quer. Pourtant, pendant de longs mois, à chaque
retour du pays des kangourous, personne ne s'est
gêné. Alors je montais dans ma chambre. Je fer-
mais les yeux très fort pour m'échapper, loin des
« enfin, Paul, quand auras-tu la moindre ambition ?
Tu aurais pu écrire un bon livre que tu aurais signé
de ton nom. *Avec la collaboration de Paul Ravine.*
La belle affaire, tu as tout écrit ! Moi, Paul, ça me
donne envie de repartir à Sydney. Je ne t'ai pas
demandé la lune, seulement un livre que tu aurais
aimé noircir. Tu ne vois plus rien, à se demander
si tu te rappelles m'avoir épousée pour le meilleur.
On devait grimper les marches ensemble, mais tu
n'as pas dépassé le premier étage. Je n'y peux rien
si Danone a pris tant d'importance dans ma vie.
Comment refuser ce poste de directrice de marketing qui m'envoie en Australie, ce pays dont
je suis tombée amoureuse ? Chaque fois que j'en
reviens, tu es là, penché sur ton ordinateur, avec
tes magazines et Internet, à décrypter les enregis-
trements que tu viens de faire dans un palace pari-
sien ou au domicile de l'artiste, ravi de t'offrir un
café quand il y pense. Le cheveu en bataille, une
tache ou deux sur ton pull ou ton pantalon, la
faute à la mayonnaise d'un sandwich au poulet,
ton cendrier débordant de mégots, la cendre sur
le clavier, la pile de journaux sur la table. Si seulement la mayonnaise et la cendre avaient accom-
pagné ton imaginaire, j'aurais tout accepté. Mais
dans les tiroirs de ton bureau, ou sur ton ordinateur, rien, pas une ligne. Oui, j'ai fouillé par-

tout. Même pas un résumé de ton futur roman. En fait, tu t'en fiches, tout ce que je dis passe directement dans le conduit du vide-ordures. »

Et papa, que répondait-il à tout cela ? Il faisait ses yeux gris. Papa n'a jamais été très bavard. Ses mots s'en vont dans ses livres. Il n'a jamais cherché à grimper des marches, il est plutôt du genre à roupiller dans un fauteuil, la cendre de sa cigarette tombant sur son pull. Je me demande si pour toutes ces marches que maman a montées, il y avait une rampe pour l'aider à aller plus vite, elle qui a peur des escaliers. Et si *la* rampe, c'était surtout papa qui veillait sur nous et la maison, même quand maman est là ? Carlotta, la femme de ménage, ne fait que le repassage. Le ménage, c'est le boulot de papa. Ça le détend. Il passe plus de temps sur les sols de la maison que sur son ordinateur. Toujours à nettoyer un cadre, faire briller une fenêtre, l'argenterie, un bouton de porte. Tout brille d'ailleurs dans cette maison. Pas besoin de miroir pour se recoiffer. Je me suis peigné vite fait avec la main en regardant une photo de papa et maman dans un cadre, tous deux enlacés au fond d'un hamac, avec la mer au loin. Dans l'une des fenêtres du salon, j'ai regardé ma nouvelle chemise toute rose que papa venait de m'acheter, aussi rose pâle dans le reflet de la vitre que la place du Trocadéro. Mais papa ne fait pas que le ménage. Si maman a besoin d'un médicament, par exemple, c'est toujours lui qui va le chercher à la pharmacie. Elle a souvent mal à la tête à cause de l'avion. Un magazine ? Une cartouche de cigarettes ? Une baguette de pain ? Une pile ? Une ampoule ? Toujours papa. Un ordinateur ne fonctionne plus, il faut changer le forfait d'un portable, en acheter un nouveau ? Encore papa. Et, juste avant que maman ne revienne du pays des kangourous, un aller-retour chez le fleuriste, pour qu'elle trouve dans ses vases préférés ses fleurs préférées : des roses ou des pivoines. Sans oublier l'orchidée sur sa table de nuit. Papa va défaire ses valises, comme il les a faites la veille du départ. Papa est le roi de la valise. Il sait exactement comment plier les affaires, ranger les chaussures et les baskets dans des petits sacs bleus tout au fond, les maillots de bain et les caleçons comme un tapis de couleurs, placer les pantalons, les jupes, les robes, les tailleurs, sans qu'ils soient froissés une fois sortis de la valise, glisser la trousse de toilette sous la pile de tee-shirts, cacher des photos d'avant pour que maman n'oublie pas. Mais c'est trop bien rangé pour maman, elle oublie les cachettes et les jolis paysages d'avant où elle rigolait dedans avec papa. L'été, quand on part tous ensemble, chacun doit sortir sur son lit les affaires qu'il souhaite emporter. Des fois, papa râle car il trouve que maman et moi on emmène trop de vêtements. Les « on ne sait jamais » de maman exaspèrent papa qui se doute bien que nous ne serons jamais invités par le roi d'Espagne, et qu'il ne portera pas plus la cravate que maman l'oblige à emporter que maman sa robe de soirée. Le soir, on dîne toujours à la même place, une jolie table au centre du restaurant, avec la flamme de la bougie qui aimerait bien s'en aller de sa prison de verre. Après, on joue sur la terrasse aux cartes, à la bataille, ou au Monopoly, ou aux petits chevaux. Maman reprend un Martini blanc, papa un Get 27, et moi un Coca.

Lola sonne à l'interphone, papa a oublié ses clefs, toujours rangées dans un panier en osier sur le guéridon de l'entrée, à côté du vase et des roses de maman qui boivent l'eau du robinet. Le bon docteur Clerget a examiné papa et lui a donné des médicaments. Lola me dit qu'il s'agit d'une mauvaise grippe et que bientôt tout ira bien. Je dis à Lola que je ne suis pas un idiot. Le nez ne coule pas, papa ne tousse pas et, surtout, je n'ai jamais vu quelqu'un de grippé entrer dans un lave-vaisselle. Papa est assis dans son fauteuil préféré, mais tout au bord, la tête penchée, les mains entre ses jambes. Il ne regarde rien de précis, ni moi ni Lola, juste le vide. Papa ne sait pas jouer à fermer les yeux. J'ai pourtant essayé de lui apprendre. Mais tout ce qu'il a vu sous ses paupières fermées, c'était maman courant vers lui dans un grand aéroport désert. Il n'a pas su me décrire ses habits, ou son regard, ni dans quel aéroport ils se trouvaient ensemble. Peut-être essaye-t-il de rejoindre maman à l'autre bout de la terre pour la prendre dans ses bras comme dans les films ?

Lola nous prépare du thé à la menthe. J'adore quand elle verse le liquide dans les tasses en soulevant la théière. Je ne sais pas comment elle fait pour bien viser. Moi, j'inonderais la table. Lola fait la conversation pour trois. Elle parle d'un film qu'on devrait absolument voir, j'ai oublié le titre, d'un livre que papa devrait lire, j'ai oublié l'écrivain, du beau temps qui fait briller les fenêtres du salon et d'un pique-nique qu'on pourrait organiser tous les trois demain, dimanche, au parc des Buttes-Chaumont. Je dis « oui » pour trois, mais personne ne m'écoute. Papa est toujours sur sa planète. J'essaye de le faire rire en imitant le singe heureux de retrouver la jungle. Il dit « non » avec sa tête. Bon. Sur sa planète, on ne rit pas. Alors

je m'approche de lui et je lui prends sa main dans
laquelle je dépose un baiser d'amour. Rien à voir
avec la langue de Franklin. On fait ça le dimanche
quand on regarde des DVD à la télé. Entre deux
films, papa et moi on dépose des baisers d'amour
au creux des mains. Je me suis assis sur mes
talons, la tête sur ses jambes, et j'attends qu'il me
caresse la tête. Je suis prêt à rester des heures. Je
veux juste qu'il abandonne un instant sa planète
pour la mienne. Et sa main, un peu hésitante, se
pose sur mes cheveux, ses yeux gris laissent sortir
la tempête, de grosses gouttes qui me tombent dessus et coulent sur mes joues, comme si on pleurait
tous les deux, un goût de mer chaude, sans le sable
et les transats bleu et blanc.

« Voyons, Paul, retiens-toi, tu ne peux pas pleurer devant Simon ! »

Mais papa ne se retient pas, il laisse sortir un
gros chagrin avec sa main qui tremble sur ma tête
et me fait tout voir de travers. Un chagrin qui vient
de sa planète inconnue. J'imagine que maman lui
a dit quelque chose de pas gentil au téléphone,
qu'elle va épouser ce pays dont elle est amoureuse
et qu'elle ne reviendra plus jamais.

Quand maman est à la maison, elle est surtout
amoureuse de son portable. Elle se promène dans
le salon avec, et elle raconte à une copine les kilomètres de plage près de Sydney avec des tas de sur-
feurs qui entrent à l'intérieur des vagues. Moi,
quand je serai grand, je ne serai pas un surfeur. Je
n'aime déjà pas aller là où je n'ai pas pied, ce n'est
pas pour finir dans le ventre d'une vague géante.
Maman s'assoit, le dos contre un bord du fauteuil,
les jambes croisées, ses pieds nus se frottant l'un
sur l'autre, et elle rigole à propos d'un truc que je

n'ai pas compris. Papa dit qu'elle tricote un pull que nous n'aurons pas le courage de porter. Il dit ça parce que maman ne sait même pas coudre un bouton. C'est papa qui s'en charge. Et quand maman s'enferme dans la salle de bain, elle n'oublie jamais d'emporter son portable avec elle. Papa remplit d'eau la baignoire et il jette dedans des poignées de sels parfumés. Maman devrait en faire autant avec son téléphone.

Le dimanche matin, d'habitude, papa et moi on aime les grasses matinées. Surtout quand maman n'est pas là. Je vais retrouver mon papa et on dort jusqu'au moins onze heures. On prépare un petit déjeuner avec le café pour papa, le chocolat pour moi, du pain, du beurre, des confitures, du jambon, du fromage et des fruits frais, et tout ça sur un grand plateau avec une fleur dans un verre d'eau, et on ramène tout dans la chambre. La fleur, c'est une pâquerette ou une tulipe que donne la fleuriste à papa quand il descend acheter du pain. Papa et moi, on aime toutes les fleurs. Après, on dort encore et on regarde des DVD l'après-midi et, entre deux films, on s'envoie des baisers d'amour au creux de la main et on dort encore.

Papa dit : « On fait légume. »

Je vois si peu maman. Avenue Paul-Doumer, elle fait à peine attention à moi. Jamais de caresse sur la tête comme papa. Elle m'embrasse toujours sur ses doigts. Quand vient l'heure de se coucher, c'est ce qu'elle m'adresse. Un baiser sur ses doigts, et elle souffle dessus pour qu'il s'envole vers moi. Mais le vent est toujours mauvais avec maman, et son baiser disparaît avant de m'atteindre. J'ai essayé plusieurs fois de l'embrasser, mais elle est grande, et moi pas assez. Alors j'attends qu'elle soit assise pour le faire, et là encore elle me repousse gentiment à cause du maquillage ou de sa coiffure et je vois papa qui la regarde avec ses yeux gris. Il me demande de venir et m'embrasse si fort que j'en mourrais étouffé. Maman feuillette un magazine, change de chaîne, va chercher un bio Danone dans le frigidaire et l'engloutit sans même nous regarder.

Des fois, quand on est dans la rue, maman me prend la main. C'est sa caresse à elle. Mais il faut attendre de sortir. Avenue Paul-Doumer, elle ne me prend jamais la main. Alors j'adore quand on sort ensemble, mais cela n'arrive pas souvent. Ses copines passent avant moi. Elle les retrouve dans un restaurant, un salon de thé, dans des tas de boutiques où elles achètent tout le magasin. Les paquets s'entassent dans l'entrée. Peut-être que maman s'imagine que papa va tout ranger comme d'habitude. Mais pas les paquets de maman qui ne sont pas pour nous. Alors ils restent là un jour ou deux. Puis maman finit par les emporter dans la chambre. Papa en ressort avec les paquets vides qu'il descend aux poubelles, la poubelle jaune des paquets pas pour nous. Quant à ses copines, on ne les voit jamais avenue Paul-Doumer. Papa n'en a pas envie. Si j'ai bien compris, c'est elles qui ont convaincu maman d'accepter ce poste chez Danone. Un jour, quand ils se disputaient, papa a dit : « Elles doivent penser que tu es trop bien pour moi maintenant ! » et maman a ricané. Son petit rire méchant, celui qui a toujours fait du mal à papa. Dans un film, papa giflerait maman rien que pour ça. Mais on n'est pas dans un film et papa se contente de ses yeux gris. Parce que le rire est entré par son nez, ses oreilles, et s'est répandu comme le poison d'un méchant serpent. Et puis un jour, les disputes ont disparu. Plus de cris, plus de ricanements. Je ne sais pas ce qui s'est passé. Peut-être à cause de moi ? Parce que j'étais toujours là à entendre les mots qui font mal ? Ou parce que les mots à force d'être dits ne voulaient plus rien dire ?

Quand on sort maman et moi, c'est toujours pour une course. Elle me prend la main et on s'en va dans sa Mini rejoindre Saint-Germain-des-Prés, deux ou trois boutiques où elle a repéré un vieux miroir dans un magazine, une paire de chaussures, ou des bougies parfumées. Des fois, elle m'offre une glace à trois boules. Elle me regarde manger en buvant mon verre d'eau fraîche. Elle trouve que j'en mets du temps à finir ma glace à trois boules. Ce qu'elle ne sait pas, c'est que j'essaye de faire durer ce moment exprès. C'est comme avaler six yaourts Danone à la pêche, mais en mieux, puisqu'elle est là, tout près de moi. Partout elle me tient la main, dans les boutiques, sous le nez des vendeuses qui me caressent parfois la tête. Pouah. Seul papa a le droit de me caresser la tête. Je ne suis pas un chien. La prochaine fois, je leur donnerai un coup de langue, tiens. Pas sûr que ça plaise à maman. À entendre les vendeuses trop parfumées, je suis joli garçon. Tu parles ! Elles connaissent maman. Elles savent qu'elle va acheter tout le magasin, et c'est pour ça qu'elles nous aiment bien. Mais je suis fier quand même d'être tenu par cette main, et je ne voudrais jamais m'échapper. Il faut bien malgré tout qu'elle me lâche parfois pour attraper le vieux miroir à deux mains. Ou payer à la caisse. Ou respirer sa bougie parfumée. Quand cela arrive, j'ai l'impression que le sol est en guimauve et que je pourrais disparaître dedans. Mais la main de maman me récupère toujours à temps. Quand elle attrape le vieux miroir entre ses mains, je me hisse le plus haut possible pour apparaître dans la glace. Il y a toujours un petit bout de moi dedans et ça me plaît bien de nous voir ensemble. Et puis, quand il fait beau, en dehors des grandes vacances et de l'Australie, il y a nos pique-niques au bois de Boulogne, derrière le chalet. On monte sur le petit bateau à 2 euros qui laisse derrière nous des tas de gens qui ne veulent pas dépenser 2 euros pour une aussi belle journée. Papa a tout préparé, une grosse salade de riz avec des tas de trucs dedans, du jambon, des oignons, des tomates, du fromage, du thon. Et une salade de fruits frais qu'il a faite lui-même avec des pommes, des pêches, des kiwis, des oranges et des pamplemousses. Il a tout mis dans des boîtes en plastique. Le panier en osier, c'est comme la valise, tout est bien rangé et à sa place. La grande nappe sur laquelle nous serons couchés, les trois assiettes pour la salade de riz, les trois bols pour la salade de fruits, de jolies serviettes en tissu, les verres à pied pour la bouteille d'eau. Papa aide maman à descendre du bateau en lui tenant la main. Moi, je saute sur la terre ferme, pas envie de disparaître dans l'eau sombre pleine de monstres. Nous suivons le chemin qui contourne le chalet et, plus bas, au pied d'un arbre, papa dépose le panier. Nous déplions la nappe sur l'herbe en faisant attention aux crottes de chien. Dommage qu'on ne soit pas quatre pour le bord manquant. J'aurais bien aimé avoir une petite sœur, mais maman ne veut pas. Elle dit que tout son amour est pour moi. Ah bon ?

J'aimerais bien savoir où cet amour-là se cache.
D'un autre côté, si elle tenait nos mains, à ma
sœur et à moi, comment ferait-elle pour attraper
une bougie parfumée sans en lâcher une ? Je ne
sais pas pourquoi, mais je sens que ce serait la
mienne et je disparaîtrais pour toujours dans le
sol en guimauve. Papa voulait un deuxième
enfant. Il l'a même crié quand ils se disputaient.
Maman a ricané. Et le poison a stoppé les cris
de papa. Il est resté droit comme un poteau élec-
trique. Rien n'aurait pu le faire pencher. Alors
maman lui a pris la main, comme avec moi dans
la rue, et lui a dit qu'elle ne pouvait pas être
enceinte avec tout le mal qu'elle s'était donné
chez Danone pour réussir sa carrière. Ma petite
sœur a disparu aussitôt au fond du yaourt à la
pêche et elle n'est plus jamais remontée à la surface. Je lui avais trouvé un prénom au cas où,
bien avant que papa et maman ne se disputent.
Lily. J'aurais adoré avoir une sœur qui se serait
appelée Lily. Allongé sur la grande nappe, je sens
des petits cailloux me rentrer dans les côtes. C'est
mieux que les crottes de chien. Papa nous tend
les assiettes de salade de riz avec les couverts. Je
me redresse, j'ai faim. Au revoir, Lily.

Lola reste dîner avec nous. Elle se sert dans le
frigidaire, pioche dans les courses que papa a
faites la veille. Comme tous les vendredis, un monsieur nous les a livrées et papa les a rangées selon
les aliments. Au-dessus, le beurre margarine dans
sa boîte verte, les fromages durs et râpés puis, à
l'étage du dessous, le jambon, les sachets de salade,
les yaourts en pagaille, à tous les parfums ; on est
très Danone à la maison. Plus bas, la viande, les
manchons de poulet, les pâtes fraîches, les tomates

dans une boîte en plastique et, dans le bac tout en dessous, les fruits, des pommes vertes, des pêches, des poires, un ananas. Des fois, des barquettes de fruits rouges, des grosses mûres, des groseilles et des fraises des bois enfermées dans des petites boîtes en plastique. Je ne range rien dans le frigidaire, sinon papa me fait les gros yeux. Moi, je range les bouteilles d'eau sous l'évier. Les tablettes de chocolat, les Bounty, les Kinders, les M&M's, les Haribo dans le placard à bonbons. Les conserves, bien empilées dans celui à ma hauteur. Et je ramasse tous les emballages dans l'évier pour les jeter dans la poubelle à papier que papa descendra plus tard. Il faut être fort comme papa pour porter tous ces sacs pleins de saletés qui sentent pas bon. Et surtout pour les retirer de la poubelle. Mon papa, c'est Hulk.

Et s'il me demandait d'aller lui chercher ses cigarettes sur la lune, je le ferais dans mes rêves. Pour de vrai, la cigarette tue. C'est écrit en gros sur les Marlboro rouges de papa.

Papa est très souvent à la maison à cause des livres qu'il écrit. Il a son bureau où je n'ai pas le droit d'entrer quand il n'est pas là. Et encore moins quand il y travaille. Il aime bien écrire en écoutant de la musique. Moi, j'aime bien écouter de la musique sans écrire. Des fois, la musique passe sous sa porte et je reconnais Mylène Farmer, Black Eyed Peas ou Jay-Jay Johanson. Je colle mon oreille contre la porte de son bureau pour mieux entendre. Des fois, j'attends que le CD s'arrête. Des fois pas, car papa passe certains morceaux en boucle et ça dure des heures pour un seul titre. C'est sa manière à lui d'entrer dans la musique. Le morceau lui devient si familier, comme un meilleur ami dont on sait tout. Une fois, j'ai demandé à papa qui était son meilleur ami et il m'a répondu « ta maman ». Papa n'a pas de copains à qui téléphoner en dehors de tous ceux avec qui il travaille. Moi, je pense que son meilleur ami, c'est quand même le balai-brosse avec lequel il cire le parquet.

Le matin et l'après-midi, papa m'accompagne et vient me chercher à l'école. Je suis à Gerson en CM1. Je me sens toujours très fier quand il me dépose en 206 CC, surtout quand il fait beau, parce qu'on a retiré le toit et que tous mes copains sont jaloux, à commencer par Jérémy. Pourtant, l'école n'est pas loin, même que des fois je rentre à pied tout seul quand papa a un rendez-vous pour ses livres. Mais si on rentre à la maison ensemble, je commence par jouer à la DS, surtout Cop the Recruit où j'arrête des tas de bandits en roulant dans des Porsche à deux cents à l'heure. Après, papa me fait réviser. Jérémy dit que j'ai de la chance d'avoir un papa pareil. Le sien est toujours dans les étages à réparer une lampe ou à cirer la rampe. Alors je dis à Jérémy qu'il a de la chance d'avoir une maman pareille. La mienne n'est jamais là.

Le matin, papa se réveille avant moi. Il prépare le petit déjeuner. Il est déjà douché et parfumé au citron. La table est mise. Il a pressé les oranges, grillé le pain, sorti les confitures aux groseilles et à l'abricot. Une tasse blanche pour lui et son café noir sans sucre et sans lait. La soucoupe, c'est pour faire joli, il n'y a rien dedans sauf les cendres de sa cigarette. Moi, j'ai un bol jaune Banania avec un monsieur noir coiffé d'un chapeau rouge qui rigole tout content de me voir. Dedans, papa verse le chocolat qu'il avait laissé sur la cuisinière. Je souffle sur le chocolat comme maman m'a appris. Le chocolat tremble à la surface comme s'il avait peur de moi. Je le bois à petites gorgées pour le rassurer. Certains matins, ça m'arrive de raconter mes rêves à papa. Ceux que je fais en fermant les yeux n'importe où. Les vrais, je ne m'en souviens jamais au réveil. Hier, je lui ai raconté celui-là.

Je vole au-dessus de l'avenue Paul-Doumer avec des ailes géantes, dans mon pyjama préféré, celui avec les rayures vertes, rouges et bleues. Je peux voir papa et maman se tenir la main et se raconter des blagues. Le vent souffle et je prends beaucoup de hauteur. Mes parents ne sont pas plus grands que des petits cailloux de jardin et bientôt je ne les vois plus du tout. Je vole longtemps dans le ciel, toujours un peu plus haut à cause du vent qui s'énerve très fort. Je ne suis pas du tout fatigué, je suis heureux de voler bien au-dessus des nuages et des avions. Le vent désenfle, je redescends sur terre, au-dessus du bush, où je vois des centaines de kangourous bondir de toutes parts. Je cherche maman, je l'imagine agrippée au cou de l'animal, lui soufflant à l'oreille de sautiller moins vite, car elle commence à avoir mal au cœur. Mais c'est papa que j'aperçois, marchant d'un pas tranquille, comme s'il était avenue Paul-Doumer. Dans le bush, il n'y a pas de trottoir, pas de rue, pas de feu vert, orange ou rouge. Les kangourous s'enfuient de tous côtés, comme s'ils cherchaient à échapper à un incendie qui leur courait après. Papa marche droit devant lui sans prêter attention aux kangourous. On dirait qu'il ne les voit pas. Je veux le prévenir, mais aucun son ne sort de ma bouche. Je veux voler plus bas, le vent m'en empêche. J'ai très peur. Et les kangourous s'approchent de papa dans leur course folle. Au dernier moment, ils s'écartent de lui comme si papa était plus dangereux que le feu. Puis le vent m'emporte vers la lune. Je pense aux cigarettes de papa que j'irais chercher sur la lune s'il me le demandait, mais je ne vois que des trous et de la fumée partout qui m'empêchent de voir le marchand de tabac et sa carotte rouge. Je fais rapidement le tour de la lune car la nuit noire en bas m'effraye. Il y a toujours des monstres là où il fait très noir. Et puis les étoiles sont apparues comme autant de petites lampes dans le ciel et j'ai pu descendre doucement jusqu'à mon lit.

Papa adore que je lui raconte mes rêves. Il dit que j'ai de l'imagination. Surtout quand j'écris le mot « imagination » avec deux *m*. En tout cas, avec un *m* ou deux, je n'invente pas. Je suis tellement concentré dans mes rêves que je n'entends plus rien. Ni la maîtresse qui me secoue l'épaule, ni le passant sur le trottoir qui me rentre dedans et me dispute. Je ne parle jamais des mauvais rêves, même s'il m'arrive d'en faire parfois. Eux, je les oublie exprès au réveil. Papa vient toujours à mon secours, car dans les mauvais rêves je crie beaucoup. Je ne veux pas parler des monstres non plus parce qu'ils deviendraient réels et sortiraient de mon placard ou du dessous de mon lit. J'ai toujours peur quand je dois ouvrir un placard ou regarder sous le lit. Même quand papa me demande une poignée de crocodiles au ventre blanc et que je dois ouvrir le placard à bonbons. Les monstres sont gourmands, on ne sait jamais. Par contre, je suis rassuré quand j'ouvre le frigidaire, car les monstres ont peur du froid. Peut-être que papa cherchait à leur échapper quand il s'est caché dans le lave-vaisselle. Je n'ai jamais parlé des monstres à papa et à maman. Quand on est petit, il y a des choses qu'il vaut mieux garder pour soi. Les grandes personnes ne comprennent pas tout. Ou alors elles font semblant d'écouter tout en pensant à autre chose. Ça s'entend au « oui » qui sort de la bouche alors qu'il faut dire « non ». Un jour, j'ai dit à maman que j'allais jeter son portable dans la poubelle verte et elle m'a répondu : « Bien sûr, mon chéri », avant de raccrocher son téléphone. Et quand on est vieux, ça doit être pire. Un peu comme deux sourds qui se raconteraient leur vie pendant des heures. Pour les monstres, j'ai simplement dit que je n'aimais pas le noir et que je ne pouvais pas dormir dans une pièce sans lumière. Personne ne m'a posé de questions. Même pas Lola. Quand on est grand, peut-être qu'on craint toujours les monstres qui se cachent partout et qu'il ne faut pas risquer de les réveiller. Mais, à cause de ça, personne ne peut savoir qu'un vrai crocodile veille sous le lit, ou qu'un serpent très venimeux ronfle dans le placard derrière les bocaux de confitures.

Maman rentre bientôt à la maison. C'est Lola qui me l'a dit. Peut-être qu'elles vont devenir copines à cause de la maladie de papa. Et, dans le salon, maman ne me chassera plus avec sa main. Elle me dira « viens, mon Simon, dire bonjour à ta grand-mère Lola ». Et mamie servira un thé à la menthe à maman qui reposera sa tasse en disant « mais c'est absolument délicieux ». D'habitude, maman verse le thé à la menthe dans la plante du salon quand Lola a le dos tourné, ce qui ne l'empêche pas de lui faire le même compliment. Et moi, j'ai droit aux gros yeux de maman qui promettent le pire si je cafte. En tout cas, même copines, ce qui est sûr, c'est qu'elles ne feront jamais de shopping ensemble. Maman regarde les robes de Lola en louchant à cause des couleurs. Lola a dit à papa que sa femme s'habille comme les mannequins dans les défilés avec des robes que personne n'a envie d'acheter.

Voilà bientôt une semaine que papa s'est caché dans le lave-vaisselle. Depuis, Lola vient tous les jours. On promène papa, comme Jérémy avec Franklin, mais sans la laisse. On tourne autour du Trocadéro et on revient sur nos pas. Papa n'a pas retrouvé ses yeux verts couleur de feuille. Le matin, je prépare le petit déjeuner à sa place car il dort plus longtemps que les dimanches où on fait légume. Je vais à l'école à pied et papa me manque même à l'école où il ne vient plus. Avant de partir, je place le petit sachet de café dans la machine, je presse une orange et je laisse une assiette de fruits frais sur la table de la cuisine. Je me dis qu'en revenant de l'école, j'aurai droit à une surprise de papa. Il va se lever, prendre sa douche, se parfumer au citron, manger l'assiette de fruits frais et boire son café et son orange pressée. Mais, quand je rentre, papa est toujours au lit et personne n'a touché à l'assiette de fruits frais à part les mouches. Des fois, Lola vient me chercher à l'école et on repart ensemble. Elle dit que la grippe de papa n'est pas vraiment une grippe. Tiens donc. Il est très fatigué, mais avec un peu de repos et les médicaments qu'il doit avaler matin, midi et soir il devrait aller mieux. Carlotta a fait le repassage et le ménage. Elle n'a pas trop l'habitude et elle a cassé un des vases préférés de maman. Après l'école, j'ai fait les courses avec Lola. Elle n'achète pas les mêmes choses que papa. Elle dit que, le blé, c'est très bon et que les pâtes en boîte sont moins chères que les pâtes fraîches. Même le frigidaire n'est pas rangé comme d'habitude. Tout est mélangé. Les yaourts Danone avec la viande, le blé avec le beurre, les manchons de poulet avec la frisée et les petits lardons. Car, ce soir, Lola va nous préparer une frisée aux lardons avec des œufs pochés. C'est le plat préféré de papa, enfin, quand il était petit. Moi, ça ne m'étonne pas. C'est le genre de salade qu'on ne peut pas manger sans se faire des taches. Avec Lola, on est passé aussi chez le fleuriste pour les fleurs préférées de maman qui rentre bientôt. Lola dit que les fleurs préférées de maman coûtent cher et que, de toute façon, elles vont mourir sans personne pour les respirer. Lola m'interdit d'envoyer un texto à maman avec le portable de papa, abandonné dans l'entrée avec les clefs sur le guéridon. Je voulais confier à maman que papa était très fatigué et qu'il faisait la grasse matinée tous les jours.

« Elle va s'inquiéter pour rien, mon Simon. Elle est loin et ne peut rien faire. On lui racontera tout quand elle sera avec nous. »

Papa sort de sa chambre, le cheveu droit sur sa tête, la barbe d'une semaine, les yeux pleins de sommeil, en caleçon et en tee-shirt.

« Désolé, j'ai tellement sommeil », dit papa en bâillant, la bouche grande ouverte et en s'asseyant sur une chaise de la cuisine.

Je l'embrasse sur la joue qui pique, il pose sa main sur mon épaule.

« Papa n'est pas très en forme », murmure papa en parlant de lui à la troisième personne comme s'il parlait de quelqu'un d'autre.

Et je vois ses longs cils, ses yeux gris couleur des mauvais jours et la larme qui s'en échappe et qui coule le long de son nez.

« Paul, essaye de ne pas pleurer devant Simon, insiste Lola.

— Mais ce n'est pas grave, je dis, il peut pleurer, mamie. Maman dit qu'après ça va toujours mieux. »

Papa essuie ses larmes avec sa main et joue avec un morceau de pain. Il prend la mie entre ses doigts et en fait des petites boulettes grises. Dans chaque boulette grise, il enferme toutes ses pensées, écrasées sous ses doigts. Il se lève et fait tomber sa chaise. Lola sursaute. Papa dit « pardon », relève la chaise, passe sa main dans mes cheveux et quitte la cuisine. Lola soupire et dépose la frisée aux petits lardons et aux œufs pochés sur la table. Elle en sert une assiette pleine à papa, puis à moi. Dans son assiette à elle, juste quelques feuilles de frisées sans lardons et œufs pochés.

« Va chercher ton père, le dîner est prêt. »

La chambre de papa est plongée dans le noir. Les volets sont fermés. Pas la moindre petite lumière ne s'échappe de la salle de bain. Je n'aime pas trop m'avancer sans rien voir. On ne sait jamais. Les monstres sont peut-être sous le lit de papa ou dans ses placards ou en train de prendre un bain. Je cours jusqu'au bureau où je n'ai pas le droit d'entrer et j'attrape un briquet posé à côté de ses cigarettes, des Marlboro rouges. Le cendrier déborde de cigarettes à moitié fumées. Je me demande qui va les finir une fois jetées dans la poubelle verte. Je retourne à la chambre et j'allume le briquet. Je vois bien une forme sur le lit, mais je dois vite retirer le doigt du briquet qui me brûle un peu. J'allume encore la flamme et je m'assois sur le lit. Papa dort sur la couette, la tête sous l'oreiller.

« Papa dort, je dis à Lola, je n'ose pas le réveiller. »

Lola regarde l'assiette pleine de frisée, de lardons et d'œufs pochés, la prend entre ses mains et jette le contenu dans la poubelle jaune. La poubelle aux papiers ! Je n'ose rien dire, Lola a l'air triste.

« Je vais rester avec toi, dit Lola. On finit nos assiettes et on fait une partie de Mille Bornes. Ça te va ? »

Ça me va.

Lola habite loin de chez nous. Enfin, le dix-huitième arrondissement, rue Lamarck, ce n'est pas non plus l'Australie. C'est plus petit qu'avenue Paul-Doumer, mais Lola vit toute seule. Un grand salon et sa chambre à côté. Pas de couette chez Lola, des draps et une couverture en laine qui gratte. On est un peu prisonnier dans le lit de Lola. Pas question de sortir la jambe et de la replier sur la couverture qui gratte. Les draps sont bien bordés, on dirait qu'ils sont cousus au lit. Les oreillers sont lourds, mais la tête s'enfonce pour mieux trouver le sommeil. J'adore dormir avec mamie. Je respire toutes sortes de parfums qui m'aident à trouver le sommeil. Lola allume toujours un bâton d'encens piqué dans une plante verte avant de se coucher. Elle laisse les fenêtres de sa chambre ouvertes toute la journée, été comme hiver. Les draps sont toujours frais. Elle se parfume avant d'aller au lit. Son parfum sent les fleurs, je ne sais pas lesquelles. Elle porte une chemise de nuit violette ou verte avec des fleurs blanches sous sa tête rousse. Elle dit que ça vient du Maroc, là où elle est allée avec celui dont on ne doit pas prononcer le nom. Un peu comme le méchant de Harry Potter, mais en pire. Sur sa table de nuit, mamie a posé une lampe grenouille recouverte d'un voile qu'elle laisse allumée toute la nuit à cause de moi. Les murs de sa chambre sont couverts de cadres d'animaux, des éléphants, surtout des grenouilles, et pas un seul kangourou. Quand je lui demande pourquoi elle aime autant les grenouilles, Lola rigole et ouvre sa bouche grande sans répondre. Dans son salon, sur sa table basse, elle en a bien une centaine. Pas une seule pour de vrai, bien sûr, mais je n'aimerais pas me promener la nuit noire dans son salon. Terre, porcelaine, fer, verre, sable et même peluche, ses grenouilles ont toutes la bouche grande comme si elles attendaient qu'on y jette un bonbon ou une limace. Ça mange quoi une grenouille ?

Lola ne fume pas. Pourtant, sur ma table de nuit rue Lamarck, on trouve une pipe, ou des cigarettes. Lola fait la grenouille quand je lui demande qui fume la pipe ou les cigarettes. Elle ouvre grand la bouche et elle rigole. Celui dont on ne doit pas prononcer le nom vient peut-être encore ici et, à mon avis, ce n'est pas le seul petit ami de Lola. Quand on fume la pipe, on ne fume pas de cigarettes, m'a dit papa. Des fois, derrière la porte de la salle de bain, je vois bien un pyjama qui n'est pas celui de Lola, et puis on n'a jamais vu quelqu'un se brosser les dents avec deux brosses à la fois.

Rue Lamarck, mamie et moi avons un secret que je ne dois surtout pas répéter à papa. Le samedi, c'est le soir des sorcières. C'est ainsi que j'appelle les copines de Lola. Elles portent toutes des robes de couleur vive, comme Lola, la bouche très rouge, parfois même les paupières sont violettes ou bleu foncé, et leurs parfums s'envolent dans le salon de Lola. Elles se tiennent assises, bien droites, autour de la table ronde. Lola a étalé un alphabet avec les lettres du Scrabble et, sur un papier, un « oui » et un « non ». Au centre de la table un verre à pied, sur lequel se posent à peine les bouts de leurs doigts qui s'agitent un peu comme des papillons. Elles appellent les esprits. Un mort, en fait, qui doit s'ennuyer là où il est et qui ne peut résister à l'appel de si jolis papillons. Le mort a toujours un prénom. Mais pas de nom.

Quand on est mort, le nom de famille n'a-t-il plus d'importance ?

Luigi, Marcel, Hervé, Gérard, Pierrot, tous ces morts soufflent sur le verre à pied pour épeler leur prénom et répondre aux questions des sorcières. Une d'elles a même demandé un jour si Luigi connaissait les numéros du loto de samedi prochain et toutes les sorcières ont pouffé. Lola n'était pas contente. On ne rigole pas avec les esprits, qui sont très susceptibles. Mais Luigi n'a rien dit. Là où il est, le loto, on s'en fiche. Par contre, il a bien voulu donner des nouvelles de celui dont on ne doit pas prononcer le nom et il a emmené le verre dans une course folle. Les papillons avaient du mal à suivre.

Il a écrit : N.I.C.A.R.A.G.U.A.

« C'est où, Nicaragua ? a demandé une sorcière aux paupières violettes qui s'appelle Violette.

— En Amérique centrale, a répondu Lola aussi blanche qu'un tee-shirt.

— C'est bien là où tu es partie avec lui avant de tomber enceinte ? a dit une autre sorcière la bouche toute rose qui s'appelle Rose.

— Bon, les filles, a dit Lola, qui veut poser la prochaine question ? »

Je ne suis pas une fille, mais tant pis.

« Est-ce qu'un jour je rencontrerai Lily ? »

Clac. Lola me prend en photo.

Et elle me regarde comme si Lily était mon amoureuse. Je deviens tout rouge et je dis :

« C'est pas ce que tu penses. »

Je pose mon doigt parmi les autres. Ne pas toucher le verre. Le doigt légèrement au-dessus. Et Luigi, toujours le même, va direct sur le « oui ».

Ce « oui » ne me suffit pas. Les morts n'ont aucune notion du temps. C'est chiant. Parce que, si c'est dans cinquante ans, c'est trop tard. Je demande à Luigi s'il veut bien être plus précis.

« On jurerait son père », dit Lola.

Alors Luigi nous entraîne d'une lettre à l'autre pour écrire le mot B.I.E.N.T.O.T.

Bientôt ? Mais ce n'est pas possible. Maman n'avait pas le ventre tout rond quand elle est partie la dernière fois. Les morts, des fois, racontent n'importe quoi. Je suis quand même très excité à l'idée de rencontrer bientôt Lily, mais je n'ai pas le droit d'en parler à papa.

« Paul n'apprécie pas trop ce que je fais chez moi le samedi soir, m'a confié Lola. Je lui ai promis qu'il n'y aurait aucune séance quand tu dormirais à la maison.

— Mais tu as menti, Lola !

— Non, j'ai croisé les doigts dans mon dos. »

Lola, ce matin, en m'accompagnant à l'école, m'a appris que maman l'avait appelée hier parce qu'elle n'arrivait pas à joindre Paul sur son portable.

« Elle ne peut pas partir de Sydney pour l'instant, me dit Lola. Une de ses collègues vient de démissionner et, du coup, ta maman a deux fois plus de travail.

— Démissionner ?

— Ça veut dire que tu pars volontairement de ton travail.

— Et maman, elle ne peut pas démissionner ? je demande.

— Pas le genre, mon chéri. Ta maman, c'est un vrai bourreau de travail. »

J'imagine maman tout en noir, une cagoule laissant passer ses yeux, coupant la tête de toutes ses collègues avec sa hache de bourreau.

« Tu as dit à maman que papa était malade ?

— Oui, mon petit. Mais cela ne change rien. On va bien s'en occuper tous les deux. D'accord ?

— D'accord, je dis. »

J'en veux un peu à maman de rester au pays des kangourous. Mamie avait raison. Les fleurs préférées de maman vont mourir très vite sans personne pour les respirer. Moi, les fleurs, je trouve ça joli, mais il faut les couper au sécateur en revenant du fleuriste. Trouver le vase qui convient à la hauteur du bouquet. Le remplir d'eau. Assembler les fleurs et porter le tout sur la table du salon ou sur le guéridon dans l'entrée. Et, après deux jours, changer l'eau pour que les fleurs durent longtemps. Franchement, c'est galère. D'habitude, c'est papa qui fait tout ça. Maman se contente de les sentir et de les caresser avec sa main ou ses yeux.

Je reviens de l'école tout seul. Lola a emmené papa chez le docteur Clerget. Je m'appuie contre un mur et je ferme les yeux.

Papa est dans une pièce très blanche, aussi blanche que la robe préférée de maman. J'ai du mal à garder les yeux ouverts dans mon rêve. Tout est blanc dans cette pièce, la table de nuit, la lampe, les murs, le sol, le plafond. Il y a des rideaux blancs aux fenêtres ouvertes et le vent joue avec. Par la fenêtre, j'aperçois la mer toute bleue, et le sable sur une plage sans transats. Maman entre dans la pièce, tout en blanc. Ses cheveux sont défaits. Elle s'assoit au bord du lit et tend sa main vers papa. Mais papa dort et ne voit pas cette main s'approcher de son visage. Elle effleure sa joue, se pose sur son front, revient sur sa joue qu'elle caresse. Derrière les rideaux blancs, la plage a disparu, avec le sable et la mer bleue. On voit le Trocadéro. Maman se lève, ferme les fenêtres et quitte la chambre blanche. Papa se réveille. Du tiroir de sa table de nuit, il sort le parfum au citron. Il en met sous le menton, derrière sa nuque et sur ses bras. Il ne voit pas l'orchidée blanche sur sa table de nuit. Il ouvre grand les fenêtres. Au loin la mer est verte. Sur le sable, deux transats jaune et rouge. Je ne connais pas cette plage où s'est enfui papa.

À l'école, Jérémy me dit qu'il a entendu parler d'une mouche qui s'appelle Tsé-Tsé et qui habite en Afrique. Une fois piqué par la mouche Tsé-Tsé, on dort sans arrêt. Papa a peut-être été piqué par Tsé-Tsé qui avait envie de connaître notre maison. J'en parle à Lola après l'école. Elle me prend la main et me dit que papa va partir se reposer quelques jours dans une jolie clinique à Meudon. Elle a parlé avec un très grand spécialiste qui lui a été recommandé par Rose, une de ses copines sorcières qui a fait de nombreux séjours dans la clinique de Meudon à cause de problèmes de poids. Je ne vois pas le rapport. Papa a bien un petit bedon, mais c'est juste à cause des sand-wiches à la mayonnaise qu'il dévore en écrivant ses livres. Lola a déjà tout réglé, une ambulance ne va pas tarder et, en plus, le docteur Clerget trouve que c'est une bonne idée. Papa a juste dit « pourquoi pas ». Le bon docteur Clerget aurait proposé le meilleur hôpital sur la lune, papa aurait trouvé ça normal. Lola a préparé la valise de papa, sans savoir vraiment quoi mettre dedans. Des tee-shirts, des caleçons, deux pantalons et une chemise. Du papier, des stylos, s'il lui venait l'envie d'écrire. On ne sait jamais.

Un monsieur chinois en blouse blanche est venu chercher papa à la maison. Lola lui a proposé un café et des gâteaux, et le monsieur chinois en blouse blanche a dit « non merci » et il est reparti avec papa qui portait sa valise à la main et son pull à l'envers.

Lola et moi jouons aux petits chevaux. Je vois bien sur son visage que Lola est inquiète, elle me laisse tricher sans rien dire. Je change le 1 en 6 avec le dé et je rejoue. J'adore tricher quand je joue. Je sais que ce n'est pas bien, mais je déteste perdre. Après, je boude. Alors je triche, je gagne et je rigole. C'est mieux pour tout le monde.

« Ton père m'inquiète à dormir autant, me dit Lola comme si ce n'était pas son fils.

— Ce n'est pas grave, mamie. Tu sais, papa écrit souvent la nuit. Maintenant, il peut récupérer tout ce sommeil qu'il a perdu. Après, il sera en pleine forme et gagnera toutes les parties de petits chevaux.

— En trichant autant que toi ? Pas difficile ! »

Peut-être que papa travaille trop la nuit. Je sais qu'il aime bien écrire quand tout le monde dort. Quand *je* dors. Il écoute sa musique au casque et remplit le cendrier avec des cigarettes à moitié fumées. Sur l'écran de l'ordinateur, il tape vite, mais juste avec sa main droite. La gauche se repose. Parfois, elle tient une cigarette qui se fume toute seule. La cendre tombe sur le clavier, ou sur le bureau, ou sur papa qui ne s'en rend pas compte. Il est très concentré. Tellement que je peux entrer dans son bureau sans qu'il me voie. Des fois, la nuit, je me réveille à cause d'un mauvais rêve que j'oublie aussitôt. J'ai les yeux grands ouverts comme si c'était le matin. Mais je ne sens pas le pain grillé et je vois bien que c'est la nuit. Alors je me lève et, sans faire de bruit, j'entre dans le bureau de papa. Je sais que je n'ai pas le droit d'y entrer. La première fois, j'ai eu très peur de me faire disputer. Mais avec le casque sur ses oreilles, j'ai compris qu'il n'entendait que sa musique. Je peux même éternuer, il n'entend rien. Je peux imiter le singe heureux de retrouver la jungle, il n'entend rien. J'ai même dansé en reconnaissant une chanson des Black Eyed Peas. Danser sur les Black Eyed Peas, c'est sauter en l'air, le poing levé. Et quand je retombe sur la moquette, papa n'entend rien. J'aime regarder papa travailler. Parfois, il met son visage dans sa main gauche, celle qui ne fait rien. Je sais qu'il réfléchit. C'est comme ça qu'il trouve ses idées, le visage dans sa main gauche. Ensuite, sa main droite court sur le clavier sans s'arrêter. Il attrape la bouteille d'eau toujours de la main gauche et en vide la moitié. Il lui arrive aussi de se gratter la tête. Sûrement pour trouver d'autres idées. Et là, on dirait qu'elles passent directement de ses doigts au clavier. Si je m'approche un peu plus près, je peux voir de la sueur coller à l'arrière de sa tête. Sur sa nuque. Des petites gouttes qui ont le goût du sel et de l'effort. À l'école, quand je fais du sport, je dégouline de partout, et les petites gouttes qui coulent dans ma bouche ont ce goût du sel et de l'effort. Pourtant, papa n'a pas quitté son fauteuil. Mais j'ai fini par comprendre que l'écriture était un sport en regardant papa.

Maman adore la gymnastique. Elle en fait dans une salle près de la Maison de la radio plusieurs fois par semaine quand elle est chez nous. Elle nous abandonne, papa et moi, avec son sac sur l'épaule qui contient une bouteille d'Évian et toute sa tenue de combat, des baskets, une paire de fines chaussettes blanches, un tee-shirt, un short et un bandeau pour ses cheveux et ses poignets. Papa l'a accompagnée une fois, mais il est revenu tout essoufflé en disant que c'était trop violent pour lui. Il a commencé par un vélo dont il a dû descendre à cause d'une crampe au pied, puis au sol sur un tapis bleu où il s'est tordu la cheville, avant de tenter le cours de gymnastique qui l'a épuisé après cinq minutes. Maman a dit en rigolant que papa est une petite nature. J'ai tué maman du regard. Papa, c'est Hulk et Shrek à la fois.

Papa dort depuis deux semaines dans sa clinique à Meudon. Aujourd'hui, Lola m'emmène là-bas. Elle me dit qu'on ne restera pas longtemps, qu'il ne faut pas fatiguer papa. Elle a demandé à Carlotta de venir tous les jours faire le ménage, le repassage, les courses, de changer l'eau des tulipes et de remplacer les fleurs quand elles seront mortes. Lola m'a dit que maintenant, les fleurs, c'était pour moi. Et un peu pour elle aussi, car Lola dort chez nous, dans la chambre d'amis où aucun ami n'a jamais dormi. Maman s'y enferme parfois pour faire une sieste loin de papa et de moi. Le matin, Lola boit du thé et mange des biscottes. Elle me prépare mon chocolat et tartine mes biscottes avec du beurre et de la confiture. J'aime le bruit de la biscotte qui craque sous la dent. Ça ressemble un peu au pain grillé. Avant, Carlotta travaillait chez mamie, mais c'est petit, chez mamie, et Carlotta s'ennuyait. Carlotta est un peu brise-fer, comme dit Lola. Elle a déjà cassé un deuxième vase, l'aspirateur et un verre dans l'évier. Elle est très contente que papa soit si fatigué. Jamais elle n'a eu autant de travail ici, avenue Paul-Doumer. Carlotta doit aussi m'accompagner à l'école et venir me chercher quand mamie ne peut pas, à cause de Meudon et des allers-retours entre la rue Lamarck et l'avenue Paul-Doumer. Comme ce n'est pas loin, on s'y rend à pied. Carlotta me raconte sa vie. Je n'écoute rien parce que je pense souvent à papa. Je me demande ce qu'il fait dans sa chambre à part dormir. Peut-être regarde-t-il par la fenêtre, la jolie plage déserte avec les transats jaune et vert, quand maman s'éloigne. Carlotta me dit qu'elle hésite entre Luc et Pierre. Je n'ai pas suivi. Ce n'est pas le prénom de son fils, Carlotta est plus maigre que maman. Est-ce que c'est le fils de sa sœur ? Je ne sais même pas si Carlotta a une sœur. Carlotta insiste. Elle me dit qu'elle les aime tous les deux et que c'est difficile de choisir. Qu'est-ce que j'en sais, moi ? Je n'ai pas de copine encore. J'attends le coup de foudre comme dans les films. Enfin, le coup sans la foudre. La foudre, je n'aime pas trop. Toutes les filles que je connais sont bêtes. Elles passent leurs doigts dans leurs cheveux et jouent à la poupée en suçant leur pouce. À l'école, je préfère jouer avec mes copains. Je ne connais pas de filles capables de jouer des heures à la DS. Ou alors elles s'imaginent être grandes et elles se maquillent avec le rouge à bouche volé à maman. Pouah. Moi, je veux le tonnerre, la tempête, que tout m'emporte. Enfin, j'imagine, je ne sais rien. En tout cas la tempête sans la pluie, le tonnerre sans l'éclair, le coup sans la foudre. Je n'aime pas quand ça gronde dans le ciel. Je déteste le 14 Juillet et les pétards qui éclatent de partout. Un jour, aux infos, un monsieur se promenait dans la forêt quand la foudre l'a frappé. Et il est *mort*. Bon, déjà, moi, je ne serais jamais allé dans la forêt tout seul. Mais ces choses-là arrivent n'importe où quand le ciel est en colère. À la télé, des villes disparaissent sous l'eau, les maisons ressemblent à des Lego qui flottent à la surface. Au Japon, un énorme bateau s'est cassé sous un pont et a disparu sous l'eau boueuse. Je ne sais pas ce qui arrivera quand je serai amoureux mais je voudrais que ce soit joli, comme les fleurs préférées de maman, ou comme quand papa rapporte le livre qu'il vient de publier à la maison. Il est tout content, on met Black Eyed Peas à fond et on saute en l'air le poing levé. Carlotta revient à la charge. Je dois choisir entre Luc et Pierre parce que Carlotta ne sait plus quoi faire. Je me souviens d'une phrase que papa a dite à maman, un jour où ils se disputaient.

« Choisir, c'est renoncer. Garde les deux. »

Carlotta s'arrête net. Elle me regarde comme si elle me regardait pour la première fois.

« Mais tu as raison, mon petit. Je vais garder les deux hommes de ma vie. Bien sûr je ne dirai rien et je continuerai de cacher à Luc l'existence de Pierre et vice versa. »

Je déteste quand on m'appelle « mon petit ». Je ne suis pas à toi, Carlotta. Et je ne suis pas petit. Je suis beaucoup plus grand que Jérémy qui a le même âge que moi. Je tiens ça de papa. Et puis tu peux garder que Luc et Pierre. On s'en fiche. Peut-être même que Luc hésite entre Carlotta et Rosa, et Pierre entre Victoria et Carlotta. Et que tu te retrouveras toute seule parce que Luc aura choisi Rosa et Pierre, Victoria. Dans la vie, on ne peut pas tout avoir. Maman a dit ça à Papa un jour noir.

Et papa n'était pas d'accord.

« Bien sûr qu'on peut tout avoir, tout prendre. Il suffit juste de le vouloir plus fort que tout.

— Alors pourquoi tu n'écris pas un livre à toi, un roman qui me rendra fière de toi ?

— Parce que ce n'est pas ce que je veux plus fort que tout.

— Et que veux-tu plus fort que tout ?

— Que tout redevienne comme avant entre toi et moi. »

Maman n'a pas répondu. Sa main a simplement aplati une mèche un peu hirsute qui dépassait. Peut-être même que les disputes se sont arrêtées ce jour-là. Parce que maman ne voulait pas que tout redevienne comme avant ? Avant quoi ? Avant moi ? Comme la photo de papa et maman, tous deux enlacés dans un hamac, avec la mer au loin ? Dans la maison, c'est la seule photo de papa et maman avant moi. Il y en a tant d'autres de moi à tout âge. Je montre mes fesses sur un coussin, je tiens les barreaux d'un berceau, je suce l'oreille de mon doudou lapin. Je marche entre papa et maman qui me tiennent chacun une main. Je souffle sur un gâteau d'anniversaire. Je tends une boule à papa pour le sapin de Noël. Je m'en souviens bien, car, juste après la photo, elle m'a échappé des mains et s'est brisée en mille morceaux. Je suis devenu aussi raide qu'une statue. Papa répétait : « Ce n'est pas grave, Simon, ce n'est pas grave. » Mais, pour moi, ça l'était. Je crois même avoir pleuré. Parfois, des choses vous échappent comme une boule de Noël qui va se briser en mille morceaux, et c'est grave. Parce que la boule de Noël que je tendais à papa et qui aurait dû finir accrochée au sapin s'est retrouvée, pelle et balayette, au fond de la poubelle blanche.

À la réception de la clinique, Lola demande à voir M. Paul Ravine. La dame à la blouse blanche nous indique un bâtiment, un couloir et un numéro de chambre, la 403. Comme la voiture.

« Vous êtes la mère de M. Ravine ? demande la dame à blouse blanche.

— Oui, tout à fait.

— Le docteur Boissard va venir vous voir. »

Puis la dame à la blouse blanche me regarde et dit à Lola que je n'ai pas le droit d'entrer dans la chambre de papa. C'est interdit. Je peux voir mon papa dans le hall, dans le parc ou à la cafétéria au fond du parc près du kiosque à journaux.

Des fois, les règlements, c'est n'importe quoi. Comme si j'étais en sucre et que j'allais fondre sous le néon des lampes. Ou attraper des tas de microbes qui se baladent uniquement dans les chambres des papas. Dans le hall, un monsieur en pyjama pousse une sorte de portemanteau où pend un sachet en plastique. Le portemanteau est sur des roulettes. Le sachet en plastique est relié à la main du monsieur par un sparadrap. Le liquide dans le sachet en plastique a l'air gluant. J'ai vu une grosse bulle remonter à la surface. Une femme est assise près du distributeur à boissons et elle rigole. Elle a dû récupérer deux boissons pour le prix d'une. Parfois, ça arrive. C'est juste qu'elle rigole un peu trop fort. Lola lui jette un drôle de coup d'œil et me serre un peu plus fort la main.

« Ce n'est pas un endroit pour toi, Simon. Ne regarde pas trop les gens qu'on va croiser. Et surtout ne parle à personne. On est venu voir papa et on repart aussitôt. Reste assis de l'autre côté du distributeur. Je vais chercher Paul. »

Lola me lâche la main. Je la vois disparaître dans un couloir sans se retourner. Je n'aime pas trop ça. Je fixe la dame à l'accueil avec un air méchant. Je ferme les yeux. *Elle lâche le téléphone et tombe à la renverse, entraînant sa chaise et ses dossiers.* J'ouvre les yeux, elle répond au téléphone et mâchouille un crayon. La force n'est pas avec moi. Un monsieur en blouse blanche vient chercher la dame qui rigolait trop fort. Elle pleure, maintenant. Elle s'appuie sur le bras du monsieur en blouse blanche comme si elle avait cent ans.

Pas le droit d'entrer dans la chambre de papa. Peut-être que la dame de l'accueil s'imagine que je vais me cacher sous le lit de papa et attendre que tout le monde s'en aille pour dormir avec lui ? Mais jamais je n'irais me cacher sous un lit, j'ai trop peur des monstres qui s'y cachent déjà. Et je ne dormirais jamais ici même si tous les hommes en blouse blanche me suppliaient à genoux. Je déteste les cliniques et les hôpitaux. Ça sent fort et il faut se laver les mains tout de suite quand on rentre à cause de tous les microbes qui habitent là. On est à l'hôpital quand on se casse une jambe ou un bras, quand on est malade, un peu, beaucoup, énormément. On meurt aussi à l'hôpital et c'est terrible. J'ai vu, dans un reportage à la télé, l'étage des derniers soins. C'est quand on sait qu'on va mourir et qu'il n'y a plus rien à faire. Les infirmiers sont très gentils avec ceux qui vont disparaître. Peut-être même qu'ils jouent ensemble aux Mille Bornes ou au Monopoly. Aux infos, un monsieur parlait aussi des enfants chauves et de leurs coloriages géants sur un tableau. Papa a changé de chaîne et ça m'a rassuré à cause des mauvais rêves que je fais parfois. Non, je ne veux pas dormir ici, même si papa me le demandait.

Sur le mur d'en face, il y a une télé où on peut voir un documentaire sur les animaux au pôle Nord avec des ours blancs et des pingouins. L'ours blanc joue dans l'eau et il a l'air content. Les pingouins se dandinent sur la glace, ils sont des centaines. Je les regarde sauter dans l'eau glacée. Des blocs de glace partent au loin et, sur l'un d'eux, un pingouin semble complètement perdu. Il n'a pas dû sauter à temps avec tous les autres et maintenant il est tout seul. Peut-être que j'aurais attendu moi aussi. J'aurais laissé papa et maman sauter dans l'eau glaciale. Trop froide pour moi. J'aurais profité des derniers bras du soleil sur mes plumes noires.

Je me lève et m'approche du distributeur. De l'autre côté, une fille a pris la place de la dame qui rigolait trop fort et elle me fixe. Elle a les yeux violets. Elle ne suce pas son pouce, ne joue pas à la poupée. Elle a un air grave qui m'impressionne. Je fais glisser une pièce pour récupérer une canette de Coca. Puis je me tourne vers elle.

« Tu veux un Coca ? je demande.

— Oui, je veux bien. »

Je m'assois à côté d'elle. On décapsule nos Cocas au même instant.

« Je m'appelle Simon.

— Lily.

— Tu as dit "Lily" ?

— Oui, je m'appelle Lily. »

J'ai un peu le cœur qui bat. Je sais que c'est à cause de son prénom et de ses yeux violets qui me transpercent.

« Tu viens souvent ? me demande Lily.

— Oui. Mon papa est là pour un moment.

— Alors on se reverra. Je dois partir.

— Tu viens voir quelqu'un ici ? »

Mais Lily ne répond pas. Elle me sourit, descend de sa chaise et s'en va vers le couloir. Je la regarde. Je me dis qu'elle va se retourner avant de disparaître. Sinon, je ne la reverrai jamais. Et juste avant de franchir le couloir, elle pivote sur ses pieds et me dit au revoir avec sa main. Dans l'autre, elle tient le Coca.

Je me dis que je dois rêver quand Lola et papa surgissent du couloir. Papa s'est rasé, mais il devait penser à autre chose au même moment. Il s'est coupé la peau au-dessus de la bouche et sous le menton. Il fait comme à la maison. Il a collé un petit bout de papier toilette sur chaque coupure. Quand il me voit, on dirait qu'il essaye de sourire. Ça commence comme un sourire un peu timide mais ça retombe aussitôt, et sa bouche tremble un peu. Je cours et me serre très fort contre lui.

« Tu m'as beaucoup manqué, je dis. Tu pensais à autre chose quand tu t'es rasé ? »

J'aimerais surtout lui parler de Lily mais ce n'est peut-être pas le bon moment.

« Toi aussi, mon Simon, tu me manques beaucoup. Non, c'est juste que les rasoirs sont interdits ici. J'ai dû acheter un jetable à la cafétéria. »

Et il me serre plus fort avec ses bras de papa.

Je le regarde. Sous ses yeux, il a des vilaines poches comme des petits sacs à soucis. Je pose ma tête sur son petit bedon, ça gargouille.

« Voyons, Simon, dit Lola, tu vas fatiguer ton père.

— Non, maman, laisse-le. Ça va. »

On se dirige vers le parc quand un monsieur en blouse blanche nous dépasse et s'arrête devant nous. Il dit bonjour à papa en l'appelant « monsieur Ravine » et se tourne vers Lola.

« Bonjour madame, comment allez-vous ? Je peux vous voir un instant ?

— Bonjour docteur. Bien sûr, je vous suis. »

Bonjour docteur, c'est nul. Moi, je l'appellerais par son prénom écrit sur sa blouse blanche. Boris. Ça serait moins triste. Ou par son nom, comme à l'école. Boissard. Ça va, Boissard ?

Lola est partie avec Boris et papa bâille comme s'il voulait avaler tout l'hôpital.

« Ça va, fiston ? »

Que répondre à papa ? Oui, ça va, et toi ? Mais ce serait vraiment n'importe quoi. Papa ne va pas super-bien. Moi je n'ai pas toujours envie de répondre à cette question. Des fois, ça ne va pas bien et je dis rien plutôt que mentir. J'ai peut-être de l'imagination, mais je ne suis pas très doué pour raconter des mensonges. J'ai bien trop la frousse que mon nez s'allonge pour toujours. J'ai quand même deux yeux pour voir que papa n'est pas comme d'habitude. On dirait qu'il a peur d'un monstre qui pourrait sortir de ma bouche. Que tout ce qu'il regarde lui fait du mal. Mais de quoi souffre-t-il ? Pourquoi doit-il prendre des médicaments ? Quand on est fatigué, normalement, du repos et une orange pressée, ça suffit, non ?

Je lui offre le plus beau de mes sourires. Je l'embrasse sur la joue gauche. Sa joue gauche qui ne sent pas le citron.

« On n'est pas obligé d'aller dans le parc, dit papa. On peut aussi bien s'asseoir là, qu'en penses-tu ?

— Oui, si tu veux », je réponds.

Papa a l'air soulagé. Il s'assied et ne dit rien. Il regarde la télé sur le mur d'en face. Les ours et les pingouins sont partis. C'est les infos. Papa baisse la tête.

« C'est terrible, toutes ces catastrophes », dit papa au mur d'en face.

Il détourne ses yeux gris et j'aperçois une petite larme couler sur sa joue. J'aimerais lui dire que je l'aime plus que tout mais je ne dis rien. Si je dis ça, je suis sûr que la petite larme va se transformer en rivière. J'aimerais poser ma main sur sa jambe ou sur son épaule, mais c'est sûrement pareil. Il essuie sa larme avec sa main et dit : « Papa n'est pas très en forme. » Comme si j'étais stupide. Moi aussi, j'aimerais bien voir Boris et lui demander ce qu'il faut dire à un papa pas très en forme. Il y a peut-être des mots qui font moins mal ? Lola n'a pas voulu que je vienne avec le jeu des Mille Bornes, ni avec les cartes, ni avec les petits chevaux. « Papa n'aura pas envie de jouer. » Pourtant papa adore jouer aux Mille Bornes, aux cartes et aux petits chevaux. N'a-t-il plus envie de rien ? Si je vois Boris, je vais lui dire que papa adore le ménage. La clinique est immense. Ça doit en faire des chambres et des couloirs à nettoyer. Et puis ce n'est pas la dame de l'accueil qui va interdire à papa d'entrer dans les chambres. Quand on est grand, on peut tout faire.

Lola nous prend tous les deux par la main.

« Un petit tour dans le parc, mes garçons ? demande Lola.

— Maman, dit papa, si cela ne t'ennuie pas, je vais plutôt aller dans ma chambre. »

Lola regarde papa la bouche grenouille grande ouverte.

« Comme tu veux, Paul. Je ramène Simon à la maison. »

Papa lève la main sans rien dire, nous adresse un sourire qui ressemble à une grimace et disparaît dans le couloir.

Je suis retourné voir papa quatre fois avec Lola. On ne reste jamais longtemps pour ne pas fatiguer papa qui dort toujours autant. Je vais parler à Boris de la mouche Tsé-Tsé. Après tout, Jérémy a peut-être raison. Quand papa va se réveiller pour de bon, il sera super en forme avec toutes ces heures de sommeil. Je me demande s'il rêve autant que moi. Sa voix n'est plus tout à fait la même. On dirait qu'il parle avec une patate dans la bouche. Ses phrases sont enveloppées dans du coton. Et pas une seule fois je n'ai vu du vert dans ses yeux. Et toujours cet air d'avoir peur de tout. J'ai l'impression qu'il s'en va au pays des kangourous, loin de moi. Mais, surtout, j'ai revu Lily. Pas longtemps la deuxième fois, parce que Lola ne voulait pas que je m'éloigne d'elle à cause des autres malades. Dans la clinique, j'avais regardé partout mais pas de Lily. Elle devait être dans sa chambre ou dans celle de son papa ou de sa maman, ou peut-être de son grand frère. Quelque chose me disait que Lily avait tous les droits, comme celui d'entrer dans toutes les chambres. Puis on est allés faire un tour dans le parc de la clinique. Je marchais heureux entre papa et Lola, leur tenant chacun la main, quand j'ai aperçu Lily sur un banc, toute seule. Elle m'a vu aussi et m'a souri avec ses yeux violets, puis elle a posé son doigt sur sa bouche. Un chut silencieux, plein de mystères. Pourquoi chut ? Papa et Lola avançaient vite, surtout Lola, on a dépassé le banc où Lily était assise. Je me suis retourné. Elle me regardait toujours. Elle s'était calée tout au fond du banc, ses pieds ne touchaient pas le sol. Elle avait l'air si sérieuse. J'aurais bien lâché les mains de papa et Lola pour courir la rejoindre sur son banc. Une petite place à côté d'elle pour tout savoir sur Lily. Mais je n'ai pas lâché leurs mains, encore moins celle de papa, parce que je sentais sa chaleur et ça me faisait du bien.

La troisième fois, j'attends dans le hall avec la dame de l'accueil qui me sourit comme si on était super-copains. Je ne lui rends pas son sourire. Si on était copains, elle m'aurait laissé aller dans la chambre de mon papa. Pas de Lily dans le hall. J'aimerais partir à sa recherche. En même temps, Lola ne va pas tarder à revenir. Mais pas de Lola non plus. Elle a dû s'endormir dans la chambre de papa, la tête à l'envers, sa bouche grenouille grande ouverte, dans laquelle toutes les mouches du parc ont dû entrer. Mais il ne doit pas y avoir de mouches dans la chambre de papa. La biscotte du petit déjeuner sans la confiture les a toutes fait fuir. Mon envie de revoir Lily est plus forte que tout. Je retourne dans le couloir et je dépasse la chambre de papa. Il y a une petite fenêtre sur la porte de chaque chambre, mais je suis trop petit pour voir quoi que ce soit. Une dame en blouse blanche passe devant moi avec un plateau à roulettes sur lequel est posée une seringue. Je déteste les piqûres. Elle me demande ce que je fais là et je lui dis que ma petite sœur s'est échappée et que je lui cours après. La dame à la seringue hausse les épaules. Elle se fiche bien que ma petite sœur cavale dans les couloirs interdits. J'avance un peu plus vite et, de l'autre côté du couloir, je vois une pièce où est écrit « Salle d'attente ». La lumière n'arrête pas de s'éteindre puis de se rallumer. Je pousse la porte. Lily est là, le doigt sur l'interrupteur.

Jour. Nuit. Jour. Nuit.

« Tu en as mis du temps », dit Lily en allumant la lumière.

Sa voix est douce, un peu triste.

« Tu fais quoi ? je réponds dans la nuit.

— Je vérifie que rien ne change, c'est rassurant.

— Pourquoi tu fais ça ?

— Je ne sais pas, dit Lily en s'éloignant de l'interrupteur.

— Tu peux appuyer encore une fois, Lily ? J'ai peur dans le noir.

— Tu as tort. C'est confortable, le noir. »

Mais Lily appuie à nouveau sur l'interrupteur.

« Comme ça, c'est mieux ? dit Lily en me regardant fixement. J'aime bien ton visage.

— Ah bon, il a quoi de spécial ?

— Il est rassurant, mais pas comme la lumière.

— C'est bien la première fois qu'on me dit ça.

— Parce que les gens ne savent pas te regarder. »

On s'assoit dans la salle d'attente. On n'attend rien de précis. On n'est que tous les deux et c'est super. Je me sens bien comme si j'étais dans ma chambre, une chambre où seule Lily aurait le droit d'entrer. Pourvu que personne ne vienne. La dame qui rigole ou qui pleure. Le monsieur en pyjama avec son portemanteau et son sachet en plastique.

« Ton papa est malade », dit Lily.

Ce n'est pas une question. Elle sait. Peut-être lui a-t-elle parlé ? Peut-être se sont-ils assis tous deux dans cette salle d'attente ?

« Tu connais mon papa ?

— Je connais tous les malades de cet endroit. Je connais leur souffrance. Je sais pourquoi ils sont là. »

Comment peut-elle connaître leur souffrance ? Elle a dû entrer dans le bureau du directeur qui range sûrement ses dossiers par ordre alphabétique de nom, comme papa fait avec les livres et les CD. Et elle a tout appris par cœur.

« Et toi, tu es là pourquoi ? je demande

— Je suis là pour veiller sur toi, sur eux.

— Non, dis-moi pour de vrai pourquoi tu es là. Tu viens voir quelqu'un ?

— Tu es curieux, Simon.

— Pas toi ?

— Ça dépend. »

Lily retourne à l'interrupteur. Jour. Nuit. Jour. Nuit. Jour.

« Ton papa va s'en sortir.

— Comment tu sais ça, toi ? Il a la maladie du sommeil, m'a expliqué ma grand-mère Lola.

— Ça s'appelle une dépression.

— Tu sais comment ça s'attrape ?

— Ça ne s'attrape pas, Simon. Ça arrive et puis ça s'en va, pour la plupart du temps. Des fois, ça vient de l'enfance, des fois non. Ou de la drogue, ou de la mort d'un proche. Ou d'un grand ras-le-bol de tout. »

Lily se lève et se dirige à l'autre bout de la pièce. Elle s'assoit par terre. Je la suis et je m'assois à côté d'elle. Tout en bas du mur, il y a un trou, où Lily met son doigt.

« Tu sais, Lily, pour mon papa, ce n'est pas la drogue ni la mort d'un proche.

— Alors c'est peut-être un grand ras-le-bol de tout.

— De moi aussi, tu crois ? »

Lily retire son doigt du trou. Je m'attendais à le voir tout noir. Mais non, il est normal. Pas de monstre non plus qui l'aurait mordu.

« Non, Simon, pas de toi. De lui. Tu devrais rejoindre ta grand-mère qui doit s'inquiéter.

— D'accord, Lily. Tu viens avec moi ?

— Non, je reste là.

— Je te reverrai ?

— Oui, souvent. »

Je me lève. Lily me dit au revoir avec sa main. Je l'aurais bien embrassée sur la joue, mais je n'ose pas. Dans le couloir, je me retourne. La lumière de la salle d'attente s'allume, s'éteint, puis se rallume.

Je vérifie que rien ne change, c'est rassurant.

La quatrième fois que j'ai vu Lily, Lola avait un rendez-vous avec Boris et m'a demandé de l'attendre dans le parc. Pas n'importe où dans le parc, sur un banc. Celui-là même où Lily m'avait fait chut avec son doigt. Mais ça, Lola ne le savait pas. D'ailleurs, je n'ai parlé de Lily à personne. Ni à maman qui, de toute façon, appelle toujours quand je suis à l'école et à qui je n'ai pas le droit d'envoyer un texto. Ni à papa qui n'écoute pas ce qu'on lui dit. Ni à Lola qui a bien insisté sur le fait que je ne devais parler qu'aux blouses blanches. Ni à Jérémy qui ne s'intéresse qu'aux filles moches. Lily, c'est mon secret. Quelque part, Luigi le mort doit bien rigoler. En écrivant le mot B.I.E.N.T.O.T., Luigi savait que je rencontrerais Lily. Peut-être même que Lily et Luigi le mort se connaissent.

Je connais tous les malades de cet endroit. Je connais leur souffrance. Je sais pourquoi ils sont là.

Comment peut-on connaître tous les malades ? Il en faut, du temps. Si Lily vient voir un malade, il doit être là depuis longtemps. Sinon, c'est peut-être Lily la malade ? Depuis combien de temps est-elle dans cette clinique ? Papa doit rester un mois. Peut-on rester plus ? Deux mois ? Un an ?

« À quoi tu penses, Simon ? »

Je lève les yeux sur Lily. Elle me sourit. Elle a attaché ses cheveux sur le côté avec un papillon aux ailes bleu et blanc.

« Je pensais à toi, je dis. Je me demandais depuis combien de temps tu étais là.

— À peine quelques secondes. Je viens de t'apercevoir en faisant le tour du parc.

— Non, je veux dire, dans la clinique ?

— J'avais bien compris », répond Lily en caressant d'un doigt son papillon.

Quand Lily ne veut pas répondre à une question, elle propose son plus joli sourire à la place. Ce qu'elle vient de faire. Elle s'assoit à côté de moi, retire le papillon aux ailes blanc et bleu et me le tend.

« C'est pour toi, dit Lily en passant la main dans ses cheveux qui dégringolent sur ses épaules.

— Moi, je n'ai rien à te donner, j'ai juste mon argent de poche pour le distributeur.

— Garde-le. Je n'ai pas soif aujourd'hui. Et tu te trompes, tu as beaucoup à donner. »

Je glisse le papillon dans ma poche de pantalon.

« C'est quoi, ton nom de famille ? Moi, c'est Ravine.

— Tout le monde m'appelle Lily. »

Et Lily m'offre un très joli sourire. Tout le monde ? Tous les malades ? Tous les docteurs ?

Toute sa famille ? Comme Luigi le mort qui n'a pas de nom de famille ?

« Si j'avais eu une sœur, elle se serait appelée comme toi, je dis.

— Tu en auras peut-être une un jour, me répond Lily.

— C'est mal parti. Maman n'est pas souvent là. Elle vit beaucoup en Australie, un peu à Paris.

— Des fois, tout change et la vie est pleine de mystères. J'adore les mystères, pas toi ?

— Oui, enfin, ça dépend. Tu as des frères et des sœurs ?

— Oui, tous les malades.

— Alors je ne peux pas être ton frère ?

— Tu es drôle, Simon. Tu me plais. Mais je dois partir. On se voit la prochaine fois ?

— Je peux t'embrasser sur la joue ?

— Non, je n'aime pas trop. Peut-être une autre fois. »

Lily disparaît dans l'allée, derrière un arbre. Juste avant, elle se retourne et me dit au revoir avec la main.

C'est drôle que Lily n'aime pas qu'on l'embrasse. Comme maman. Moi, je n'aime pas embrasser des inconnus. Mais, quand on connaît bien les gens, c'est comme laisser quelque chose de soi. Avec papa, en plus du baiser d'amour, des fois on fait le baiser papillon. J'embrasse sa paupière fermée avant qu'elle ne s'envole. Quand Lola m'embrasse, elle me laisse un peu de sa bouche sur ma joue. Une trace de son rouge à lèvres très rouge que je garde longtemps jusqu'à ce qu'il disparaisse sous l'eau du bain. Comme si j'avais un peu de Lola

sur moi. Bien sûr, quand je serai vieux, j'embras-
serai une fille sur la bouche. Un peu comme papa
et maman, avant les disputes.

Un dimanche, j'étais bien tranquille dans ma
chambre à jouer à Cop the Recruit quand j'ai
entendu maman crier. J'ai mangé les marches de
mon petit escalier et j'ai frappé à leur chambre.
Maman a entrouvert la porte, toute rouge, enve-
loppée dans un drap, le cheveu en désordre. J'ai
demandé si tout allait bien parce que j'avais peur
des araignées et, quand on crie, c'est souvent à
cause de ça. Maman m'a souri. Le visage de papa
est apparu sur l'épaule de maman. Lui aussi était
habillé d'un drap. Ils m'ont dit tous les deux que
je n'avais pas à m'inquiéter. Je suis reparti dans
ma chambre avec des tas de questions dans ma
tête. J'ai beau avoir neuf ans, je sais bien qu'ils ne
jouaient pas aux fantômes. Alors, si tout allait bien,
pourquoi maman a crié ?

« Voilà, tout est réglé, Simon, on peut s'en
aller. »
Lola me prend la main et nous quittons la clinique. C'est dans le taxi que je repense au papillon
aux ailes bleu et blanc que m'a offert Lily. Je glisse
ma main dans la poche de mon pantalon et je n'y
trouve que des pièces. J'ai dû le ranger dans l'autre
poche. Mais ma main ne rencontre rien. Il a dû
tomber de ma poche quand je me suis levé du
banc. Quel idiot. Même pas capable de garder
le cadeau de Lily. Ou alors le papillon aux ailes blanc
et bleu s'est envolé exprès de ma poche.

J'habite chez Lola depuis deux mois. Lola m'a dit que tous ces allers-retours entre l'avenue Paul-Doumer et la rue Lamarck l'épuisaient. J'ai un peu peur quand j'entends le mot fatigue. Je vais finir par me retrouver seul rue Lamarck et personne pour m'accompagner quand j'irai rendre visite à mamie et à papa à l'hôpital. Peut-être que Raoul, le chauffeur de mamie qui m'appelle monsieur, acceptera de faire un détour après l'école pour m'emmener les voir tous deux, dans des chambres où je n'ai pas le droit d'entrer. Carlotta brise-fer n'a plus les clefs de la maison ; Lola les lui a reprises. La poussière va recouvrir les meubles et les cadres. Et les miroirs de l'avenue Paul-Doumer vont être bien seuls. Plus personne pour s'admirer dedans. Même pas les monstres qui se cachent sous les lits ou dans les placards, bien trop effrayés de découvrir à quoi ils ressemblent.

Papa ne va pas mieux. Il va quitter Meudon pour s'installer à Sainte-Anne. Je suis fâché avec Jérémy qui m'a dit que c'était l'hôpital des dingues. Papa n'est pas dingue. Il fait une dépression. C'est Lily qui me l'a dit. Lola en a parlé aussi au téléphone avec Violette, une copine sorcière. J'ai regardé dans le dictionnaire de Lola : *état pathologique*

marqué par une tristesse avec douleur morale, une
perte de l'estime de soi, un ralentissement psycho-
moteur. Des fois, on devrait écrire des diction-
naires pour enfants. J'ai demandé à Lola : « C'est
quoi une dépression ? » et elle m'a dit : « Qui t'a
appris ce mot ? » comme si je l'avais mordue, sans
répondre à ma question. Je n'ai pas osé lui dire
que j'avais entendu sa conversation au téléphone.
Maman m'a toujours chassé du salon avec sa main
quand elle appelait ses copines : « On n'écoute pas
les conversations des grands. » Et les grandes personnes se parlent souvent quand je ne suis pas là.
Comme si, à mon âge, je n'étais pas capable de
tout comprendre. À cause du décalage horaire,
maman appelle Lola quand je suis à l'école et que
je ne peux pas lui parler. Je déteste le pays des
kangourous. Lola dit que maman m'embrasse et
qu'elle pense à moi. J'aimerais que maman pense
à moi en me prenant la main et qu'elle m'embrasse
sur la joue maintenant.

C'est difficile d'apercevoir Lily quand je vais à
Meudon avec Lola. Elle ne s'endort plus dans la
chambre de papa et je dois imaginer des ruses de
sioux pour lui échapper. Mamie trouve que j'ai
souvent envie de faire pipi à l'hôpital. « C'est peut-
être à cause des Cocas que j'achète avec mon
argent de poche », je dis. Et, même avec ça, c'est
Lily que je ne vois pas. Ni au distributeur, ni dans
la salle d'attente où il y a plein de gens qui ne se
parlent pas et où personne ne joue avec l'interrupteur. Au fond du parc, j'aperçois un kiosque à journaux et un café. Lily est assise toute seule à une
table et boit un lait fraise. Elle me fait un petit
signe de la main. On dirait qu'elle n'attendait que
moi.

« Lily, papa va quitter Meudon.

— Oui, je sais. Tu veux un lait fraise ? J'ai des pièces aujourd'hui. »

Le lait fraise, c'est pour les filles. Mais je n'ose pas le dire à Lily. J'en bois un peu. Pouah.

« Lily, dis-moi, c'est quoi une dépression ? je demande en m'essuyant mes moustaches de lait.

— C'est un peu comme si quelqu'un entrait en toi et te faisait faire des choses dont tu n'as pas l'habitude.

— On dirait un film d'horreur, ce que tu dis.

— C'est pire, ce n'est pas pareil. Tu te réveilles un matin et tu n'es plus comme avant. Celui qui est entré en toi saute par la fenêtre, ou avale trop de médicaments, et tu ne peux rien faire pour l'en empêcher.

— Un matin, j'ai trouvé papa dans le lave-vaisselle.

— C'est ce que je te dis. J'imagine qu'il ne l'avait jamais fait avant ?

— Non, bien sûr !

— Et puis, c'est comme un poison qui se répand partout en toi et t'empêche de dormir ou te tient éveillé toute la nuit. Ce poison te rend triste et pas une seule blague ne peut te faire sourire. Alors le médecin essaye des antidotes pour tuer le poison. Mais ça ne suffit pas. Si tu n'arrives pas à dormir, on te donne des somnifères puissants que tu ne peux pas acheter en pharmacie sans un mot du médecin. Et comme tu es très angoissé par tout ce qui t'entoure, les gens, les sons, même les murs, le médecin ajoute des gouttes ou des pilules blanches. Au cas où tu serais très en colère, et que tu voudrais bien tout casser autour de toi, on te calme avec d'autres bonbons. Tous ces médicaments aux noms terribles peuvent t'aider si c'est le bon dosage. Un peu comme l'antidote au venin d'un serpent qui t'aurait piqué, sauf qu'on ne sait pas quel serpent. Alors il faut recommencer, baisser ou augmenter les doses. Et, un jour, celui qui est entré en toi s'en va. Peut-être que les médicaments ont fait ce qu'ils avaient à faire. Mais, en réalité, ce qui a chassé celui qui est entré en toi n'est autre que toi-même. Il faut de l'aide, et de la force, et du temps, parfois beaucoup de temps.

— Et le monsieur qui est entré en papa, il va s'en aller ?

— Oui, Simon. Mais tu dois être patient. Cela peut être long.

— Comment tu sais tout ça, Lily ?

— Je sais, Simon. Je sais. »

Lily me sourit comme si je lui avais offert ses fleurs préférées.

« Lily, quand papa sera à Sainte-Anne, je ne reviendrai plus ici. Je suis très triste parce que je ne vais plus te voir et il n'y a qu'à toi que je peux dire tout ça.

— Ne t'inquiète pas, Simon. On se reverra. C'est mon petit doigt qui le dit.

— Celui qui entre dans les trous des murs ?

— Oui, Simon, celui-là. »

La vie chez Lola, c'est plutôt cool. J'ai même un chauffeur qui s'appelle Raoul et qui m'attend tous les matins en bas de chez Lola, rue Lamarck, dans une Mercedes noire. Il est plus vieux que Lola. Ils se connaissent bien. C'était il y a longtemps le chauffeur de celui dont on ne doit pas prononcer le nom. Il porte une casquette, il me vouvoie. Comme maman et Lola entre elles. C'est bien un truc de vieux. En plus, il m'appelle « monsieur ». J'ai dit à Raoul qu'il pouvait me tutoyer et m'appeler Simon et il m'a répondu : « Comme vous voulez, monsieur. » Il a toujours une petite bouteille d'Évian pour moi et un sachet de Haribo ou une barre de chocolat aux noisettes et au lait, mon préféré. Quand il sourit, on peut voir un trou entre ses deux dents de devant. Pas assez grand pour que Lily y passe son doigt. Assez grand pour y coincer une cigarette. Et, rien à faire, il m'appelle « monsieur ». « Monsieur est arrivé. » « Monsieur a soif ? » « Monsieur a faim ? » C'est bien la première fois qu'on m'appelle « monsieur ». Le pire, c'est quand on arrive à l'école. Il sort de la Mercedes noire pour ouvrir la porte du côté où je suis assis et il me dit : « Bonne journée, monsieur. » Mes copains sont verts, surtout Jérémy à qui je ne parle plus depuis qu'il a dit que mon papa était chez les dingues. Quand l'école est finie, Raoul est déjà là, appuyé contre sa Mercedes noire. Il fume une cigarette qu'il jette aussitôt dans le caniveau dès qu'il me voit. J'ai dit à Raoul qu'il pouvait fumer autant qu'il voulait, que papa et maman fumaient dans leurs voitures et que chez moi les cendriers débordaient de cigarettes à moitié fumées. Raoul a levé un sourcil et n'a pas répondu. Je ne l'ai jamais vu fumer dans la Mercedes noire. Seulement quand il m'attend à la sortie de l'école. Un jour, il m'a dit que sa première cigarette sortait du paquet après le déjeuner. Et puis il a rougi sous sa casquette comme s'il m'en avait trop dit. J'ai vu cela dans le rétroviseur car Raoul ne se retourne jamais quand il conduit. Les deux mains sur le volant à dix heures dix, comme maman. Papa, lui, conduit souvent d'une seule main. L'autre ne fait rien, comme sur le clavier de son ordinateur. Surtout, il se retourne sans arrêt quand je suis à l'arrière de la voiture, ce qui énerve maman. Je crois que leur première dispute a commencé dans la 206 CC. Maman téléphone toujours à ses copines quand elle est dans la voiture et elle jette sa cendre en ouvrant la vitre de sa portière. Sauf que le vent nous la ramène. Une fois, une de ses cendres a même fait un trou dans ma chemise. Papa était furieux. Il a dit à maman qu'elle était inconsciente et il lui a pris des mains le portable qui s'est refermé sur la voix d'une de ses copines, tout ça en conduisant de la main droite. Maman a fait sa bouche de poisson, mais elle n'a rien dit. La bouche poisson, c'est comme la bouche grenouille en moins grand et les lèvres si serrées qu'un spaghetti n'y entre pas. La première dispute, papa a eu le dernier mot. Mais toutes celles qui ont suivi et que j'ai entendues, c'est maman qui l'a eu. On aurait dit que tous ses mots entraient par les oreilles de papa et ressortaient par sa bouche. C'est à peine s'il lui répondait. Ce qui énervait beaucoup maman. Des fois je me dis que, si papa lui avait donné une fessée, peut-être que maman n'aurait pas continué. Moi, quand je fais des bêtises, papa me donne une fessée et je ne recommence pas de sitôt. La dernière fois, j'avais allumé toutes les bougies de la maison et éteint toutes les lumières. C'était joli, ces petites flammes qui dansaient dans leur verre. Et les bougies parfumées de maman sorties de leurs boîtes toutes neuves qui laissaient échapper leurs parfums. Papa travaillait dans son bureau où je n'ai pas le droit d'entrer. C'est la seule pièce de la maison où je n'avais pas allumé de bougies. Puis je suis allé me coucher en laissant la lumière sur jour. C'est au milieu de la nuit que papa a déboulé dans ma chambre et il m'a secoué comme un paquet de céréales. Je me suis retrouvé sur ses cuisses, papa assis sur mon lit et, là, j'ai eu le droit à une super-fessée. C'est vrai que j'aurais pu mettre le feu à la maison. Je n'y avais pas pensé. Ce que je voulais surtout, c'était faire fondre plus vite les bougies parfumées de maman pour qu'elle revienne plus vite du pays loin là-bas et qu'on aille en acheter par centaines, main dans la main, à Saint-Germain-des-Prés. Pour de vrai, je ne fais pas souvent des bêtises. Ce n'est pas vraiment des fessées dont j'ai peur, mais de tout le reste. Bien sûr ça laisse des traces de doigts, les fessées, et je les déteste autant que les piqûres. Mais pour faire des bêtises, il faut être très courageux. Et je ne suis pas courageux. Je ne pourrais jamais m'échapper par la fenêtre de ma chambre comme le font Jérémy et son chien Franklin, même s'ils habitent un rez-de-chaussée. J'ai peur du vide. Je peux me pencher au-dessus de la rampe quand sonne l'interphone de l'avenue Paul-Doumer et voir monter papa qui sonne toujours, même s'il a sa clef, pour le plaisir de m'apercevoir, ou maman qui n'a jamais la sienne. Mais je ne peux pas avancer sur un balcon ou monter à la tour Eiffel sans avoir plein de fourmis qui me mangent les pieds. J'ai peur des monstres sous les lits et dans les placards. J'ai peur du noir. J'ai peur qu'un jour maman ne rentre pas chez nous à cause des kilomètres de plage qui lui font la peau marron. J'ai peur que papa ne rentre pas du pays de la fatigue à cause de la fatigue qui l'empêcherait de retrouver le chemin de la maison. Peut-être que celui qui est entré en papa s'y sent bien, lui. Pas pressé d'habiter un autre corps pour embêter une autre famille. J'ai peur que Lola retrouve celui dont on ne doit pas prononcer le nom et qu'elle s'enfuie avec. Ou qu'elle attrape une dépression en allant si souvent voir son fils. Celle qui s'introduirait en elle l'attend peut-être au détour d'un couloir ou à la sortie de la chambre de papa. J'ai peur que Raoul ne soit pas là pour me ramener de l'école. J'ai peur que

Jérémy soit fâché pour toujours. J'ai peur de ne plus jamais revoir Lily.

Pourtant, elle a tenu la promesse de Meudon.

Ne t'inquiète pas, Simon. On se reverra. C'est mon petit doigt qui le dit.

À Sainte-Anne, c'est comme à Meudon, je n'ai pas le droit d'entrer dans la chambre de papa. À la maison, je n'ai pas le droit de franchir la porte de son bureau. C'est comme ça. Même si à la maison j'y entre quand même, même quand papa travaille, avec son casque sur les oreilles qui n'entendent pas mes pas approcher de lui. À Sainte-Anne, papa n'écoute pas de musique. Il dort.

J'entre dans toutes les chambres de papa. Elles sont grandes et toutes blanches. Son petit lit est en fer. À l'hôpital, personne ne dort à deux dans un grand lit. Les lits sont faits comme chez Lola, avec une couverture qui gratte. Pas de couette où on peut glisser sa jambe du dessous au-dessus. Sur les tables de nuit des chambres de papa, il n'y a pas de réveil. C'est une dame ou un monsieur en blouse blanche qui vient très tôt pour lui prendre sa température ou lui demander s'il a bien dormi. On lui apporte ses médicaments et un petit déjeuner avec un bol de café, une biscotte comme chez Lola, et parfois un yaourt qui n'est pas un Danone. Pas de pain grillé, pas d'orange pressée, pas de fruits frais découpés en morceaux. Dans les chambres de papa, il y a deux chaises. Une pour le docteur qui vient le voir tous les jours, l'autre pour Lola. Dans les salles de bain des chambres de papa, le savon et le gant de toilette, le dentifrice et la brosse à dents. Pas de rasoir, c'est interdit. Et pas de parfum au citron.

On ne pense pas à se parfumer dans les hôpitaux. C'est dommage, ça sentirait moins mauvais. Les murs des chambres de papa sont nus. Pas un cadre qui lui rappelle maman, tous deux enlacés dans un hamac, avec la mer au loin. Ou un autre avec moi dedans où je suce l'oreille de mon doudou lapin, même si je n'ai plus l'âge du doudou. Et quand on ouvre la seule fenêtre des chambres de papa, elle donne sur un mur.

J'ouvre les yeux. Je suis à Sainte-Anne avec Lola et nous attendons papa à la cafétéria du Relay H. Lola serre son sac contre elle. Je ne vois pas qui pourrait le lui voler. Dans une vitrine, on peut acheter des montres et des bijoux dorés. C'est pratique si on vient les mains vides. Sauf que les montres et les bijoux dorés sont très moches. À côté de nous, un homme et une femme se tiennent les mains. L'homme a plus de cheveux que papa et une barbe comme celle du père Noël, même si j'ai appris cette année que c'était du pipeau. Ça m'a soulagé car j'avais peur de lui quand il s'approchait du grand sapin et que je filais dans ma chambre me fichant complètement des cadeaux. Papa a tiré sur sa barbe et a retiré le bonnet rouge qui le faisait transpirer et il est venu s'asseoir sur mon lit. J'étais plutôt content d'apprendre que le père Noël n'existe pas et que je pouvais ouvrir mes cadeaux tranquille. De toute façon, la seule lettre que je lui aie écrite est restée sans réponse et je comprends mieux pourquoi. Je lui avais demandé de me ramener maman dans sa hotte.

Celui du café à Sainte-Anne a l'air très nerveux, il se passe sans arrêt la main dans les cheveux. Du coup, ils sont tout aplatis sur un côté. Puis il remet sa main dans celle de la femme et lui passe tous ses microbes. L'homme à la barbe ressemble à Hagrid le géant de Harry Potter qui collectionne des animaux bizarres. Peut-être qu'il va sortir de sa poche un lézard bleu avec des ailes géantes ? Non, Hagrid vient de renverser son jus de tomate à cause des allers-retours entre ses cheveux et la main de la femme. Lola sursaute, mais ne se retourne pas. La femme fait un signe au serveur et dit à Hagrid : « Ce n'est pas grave, mon chéri. » Le jus de tomate fait comme une grosse tache de sang sur la table, que le serveur nettoie avec une éponge. Hagrid respire à grands bruits, transpire à grosses gouttes. Sa copine tire la table jusqu'au milieu de la cafétéria pour qu'il puisse sortir. Ils passent devant la vitrine des bijoux et des montres en or sans même s'y arrêter. La dame porte de grands anneaux aux oreilles et un tout petit sac qu'elle fait disparaître dans une main. Elle tient l'homme par le bras comme si c'était petit garçon effrayé de traverser au feu rouge.

Papa entre dans le café et dit bonjour à Hagrid qui s'éloigne avec la dame et son tout petit sac à main. Je n'ose pas lui demander s'il connaît l'homme à la barbe du père Noël. Lui aussi doit être très fatigué. Parce qu'il renverse tout sur son passage.

Lola s'assure que papa mange convenablement. Elle sort de son grand sac une boîte en plastique où elle a rangé, enveloppés dans de l'aluminium, une aile de poulet, une part de quiche aux épinards et un gâteau au chocolat. Elle dit à papa qu'il doit manger beaucoup de chocolat. C'est bon pour ce qu'il a. Elle a mis aussi trois tablettes de chocolat noir et deux rochers Suchard dans la boîte. Papa sourit pour la première fois, depuis le lave-vaisselle.

Lola lui prend les mains. J'en profite pour demander si je peux aller aux toilettes. Lola dit : « Oui, à condition que tu te laves les mains juste après. » Le serveur me montre le chemin des toilettes. Je suis ses indications, à droite, dans le couloir. C'est en entrant dans les toilettes pour hommes que je me rends compte que la lumière clignote. Jour. Nuit. Jour. « Lily ? » je dis, mais personne ne répond. Je fais mon pipi, je me lave les mains très vite. Il n'y a personne à part moi, j'ai un peu peur. Je me trompe de sens sans le faire exprès et je cours très vite car, au bout du couloir, je viens d'apercevoir la lumière du jour. C'est en sortant que je tombe sur Lily.

Elle a dessiné une marelle sur le sol, à la craie le mot « Terre », un peu plus haut « Enfer » et juste au-dessus « Ciel », en lettres majuscules. Entre les deux, les cases de 1 à 8.

« Tu veux jouer avec moi, Simon ?

— Oui, je veux bien.

— Suis-moi.»

Lily jette la craie sur la case 1 et saute sur un pied de la case 1 à 3. À deux pieds sur les cases 4 et 5 qui se font face, un pied sur la 6, deux pieds sur les cases 7 et 8 et demi-tour, sans une seule fois toucher les traits.

Je n'en reviens pas de revoir Lily. Jamais je n'aurais pensé un jour jouer à la marelle. C'est un truc de filles, quand même.

« Toi aussi, tu as quitté Meudon ? » je demande, tandis que Lily vient de jeter la craie sur la case 2 et recommence sa montée.

À deux pieds sur les cases 4 et 5, Lily dit sans se retourner : « J'ai plein d'amis ici. »

Au demi-tour, tournant le dos à l'enfer et au ciel, Lily ajoute en me fixant de ses yeux violets : « Je t'avais fait une promesse. Mets tes pas dans les miens. »

Je saute d'un pied tout comme elle, avec une case de retard. Quand je pose mes deux pieds sur les cases 4 et 5, Lily est déjà sur la 6. Pourquoi, dans ce jeu, l'enfer et le ciel sont-ils si proches ? La craie remonte de la case 3 à 8 et nous nous suivons, Lily et moi, l'un derrière l'autre. Je vais au ciel ou en enfer. Elle est derrière moi pour revenir sur terre. On est tout essoufflés. Aucun d'entre nous n'a touché les traits et la craie n'a pas roulé en enfer. Lily me tend ses mains, je tape dedans.

« Tu devrais retrouver ta famille, Simon. Ils vont s'inquiéter.

— C'est vrai, tu as raison, Lily. Je te vois bientôt ?

— Oui, bientôt, Simon. »

Je fais un signe de la main pour lui dire au revoir. Lily me fait signe avec son doigt de revenir. Je m'approche de Lily qui m'embrasse sur la joue. Aussitôt je sens comme une boule de feu me monter au visage. Je reste immobile. Je ferme les yeux. Quand je les ouvre, Lily a disparu. La craie aussi. Reste sur le sol la marelle de Lily. Je cours rejoindre Lola et papa qui discutent tous les deux au café.

« Tu t'es bien lavé les mains ? » me demande Lola.

Sur la table, le serveur vient de déposer trois parts de gâteau au chocolat. Personne ne me reproche mon retard. Je me dis que Lola et papa avaient des tas de choses à se dire.

Je ne suis plus fâché avec Jérémy. À l'école, il m'a tendu un petit papier sur lequel il avait écrit « pardon ». Comme on ne se parlait plus, j'ai pris mon stylo et j'ai écrit « OK » sur son pardon et on s'est regardés en souriant. Quand je suis fâché, cela peut durer très longtemps. Ça dépend de celui ou celle avec qui je suis fâché. C'est à l'autre de faire le premier pas. S'il ne vient pas, c'est que j'ai bien fait de me fâcher. Du coup, j'ai invité Jérémy chez Lola et je lui ai dit que Raoul le ramènerait ensuite à sa maison.

« La classe », a dit Jérémy.

Jérémy a des taches de rousseur partout et un kiki sans chapeau. Je l'ai vu tout nu sous la douche quand on va à la piscine ; il m'a dit que c'était à cause des maladies qui pouvaient se cacher sous la peau du kiki et que, dans sa religion, de toute façon, on coupait la peau à tous les garçons pour qu'elle ne repousse plus. Ça m'a fait l'effet d'une hache qui me courrait après. Des soirs, papa me laisse aller dîner chez Jérémy et j'aime bien parce que la maman de Jérémy dépose sur la table plein de petits bols avec des tas d'entrées qu'on ne mange jamais à la maison. La maman de Jérémy est toujours en chemise de nuit, elle me rappelle un peu Lola à cause des couleurs de sa chemise de nuit. Ils habitent le rez-de-chaussée d'un immeuble à Passy, rue Alfred-Bruneau, pas très loin de chez moi. Le jour, la maman de Jérémy distribue le courrier dans l'immeuble en chemise de nuit et le papa de Jérémy passe l'aspirateur. L'hiver, Jérémy m'a dit que sa maman mettait un pull par-dessus sa chemise de nuit parce qu'il fait un peu froid dans les escaliers. La maman de Jérémy s'appelle Juliette. Elle dit que les taches de rousseur de Jérémy sont les taches du bonheur et Jérémy dit « tu parles d'un bonheur ! » parce qu'il ne peut pas aller au soleil à cause de ses taches. Parfois, il s'échappe par la fenêtre de sa chambre avec son chien Franklin, quand son papa et sa maman sont couchés, et il va boire un Coca au McDo avec son argent de poche. Moi, je ne ferais jamais un truc pareil. D'abord, on habite au deuxième étage et je ne m'appelle pas Spiderman. Être piqué par une araignée pour pouvoir grimper sur les murs et les toits, je laisse ça à Jérémy. Ensuite, mon papa travaille souvent tard la nuit et, des fois, il vient me regarder dormir. Je le sais parce que j'ai le sommeil pas très profond et je peux me réveiller à cause d'un klaxon ou d'un cri dans la rue. Quand mon papa s'assoit sur le bord de mon lit, je fais semblant de dormir mais je suis content qu'il soit là. Mon papa me protège de tous les monstres, il est le gardien de mes nuits. J'imagine la super-fessée si papa ne me trouvait pas dans la chambre parce que je suis allé boire un Coca au McDo avec Jérémy.

Je dis à Jérémy :

« T'as pas peur quand tu sors par la fenêtre de ta chambre ?

— Peur de quoi ?

— Je ne sais pas, de ton papa qui viendrait te regarder dormir, ou des gens dans le café ?

— T'inquiète, me répond Jérémy, mes vieux ronflent à faire trembler les murs et ce n'est pas le genre de mon père de venir me regarder dormir. Ce serait du temps perdu pour son sommeil à lui ! Et puis, les gens, la nuit, c'est comme les gens le jour, mais en plus souriants et en moins pressés. Souvent, on me demande le nom de mon chien ou si je suis perdu. Ça m'arrive de dire oui pour qu'on m'offre un autre Coca.

— T'es ouf, Jérémy, un jour tu te feras enlever comme on voit aux infos et on verra ta photo au journal de vingt heures et on te retrouvera découpé en morceaux dans des sacs en plastique au fond d'un lac.

— Simon, tu regardes trop la télé. Je n'ai jamais suivi personne. Je fais juste mes yeux de Franklin battu pour un Coca de plus. J'aime bien regarder les gens. Ils se disputent, ils rigolent, Des fois, ils ne se disent rien. Et, tu sais quoi, la nuit, les filles sont plus grandes qu'à l'école.

— Quand ils ne se disent rien, c'est peut-être parce qu'ils se sont tout dit. Et ils ont beau chercher un mot, ou une phrase, rien ne vient parce que la grande hotte des mots est épuisée.

— Et c'est moi qui suis ouf ! Où tu vas chercher tout ça, Simon ? »

Parfois, j'invite Jérémy à la maison. Papa nous prépare un poulet-salade-chips et après on joue tous les trois aux Mille Bornes ou aux petits chevaux. Papa n'aime pas la DS. Il dit que tous ces boutons à manipuler, c'est trop compliqué pour lui. N'importe quoi. Moi, je crois que papa est un peu feignant et qu'il n'aime pas trop ce qu'il ne connaît pas. C'est peut-être pour cela qu'il tape avec deux doigts sur l'ordinateur, tandis que l'autre main paresse. Jérémy trouve que papa est très cool. Il n'a jamais vu maman et m'a demandé une fois si elle existait vraiment.

« Je ne sais pas, j'ai répondu. Je me le demande aussi. »

Le frigidaire de Lola ne ressemble en rien à celui de papa. Il est presque vide. La pomme verte est toujours là depuis que j'habite chez Lola, mais on dirait qu'elle est plus petite avec une grosse tache sombre un peu menaçante. C'est sûrement un petit ver de terre qui en a fait sa maison. Le beurre est sous une cloche de verre. Une boîte de Vache qui rit rien que pour moi et des compotes de fruits pour Lola. Les compotes, je déteste. C'est un dessert pour les vieux qui n'ont plus de dents, même si mamie en a encore. Lola ne sait jamais à l'avance ce qu'on va manger. Elle fait les courses dans l'après-midi selon ses humeurs. « Tiens, si on mangeait un foie de veau ? », ou « une sole avec des petites pommes vapeur ? », ou « un steak haché-purée ? ». Elle s'arrête chez le boucher, louche sur la viande étalée, dit à Roger : « Mets-m'en deux cents grammes, j'ai le petit avec moi. » Quand Lola m'appelle le petit, j'aime bien. Dans sa bouche, c'est comme un bonbon qui fond. Lola appelle les commerçants par leur prénom et tous me regardent avec gourmandise comme s'ils voulaient me manger avec du beurre et du persil. Il y a Roger le boucher, son tablier blanc plein de sang, Patrick le poissonnier, un peu serré dans une grande salopette bleue qui sent la mer. Pauvres petits pois-

sons morts couchés sur un lit de glace qui finiront
dans la bouche de Simon. Miam. Il y a Fanny, la
marchande de tabac qui vend aussi des montres et
chez qui Lola joue au loto le vendredi et le samedi.
Fanny n'a ni blouse ni salopette par-dessus ses vêtements, juste un stylo glissé sur son oreille qu'elle
tend à ses clients quand sa machine est en panne.
Des fois, Lola me demande des numéros comme
si le loto gagnant n'était connu que de moi. Je dis
4 pour Lily. 9 pour Australie et 10 pour Sainte-Anne
en comptant sur mes doigts, ce qui fait rire Fanny.
Après, je dis 16 pour mon arrondissement, 18 pour
celui de Lola, 14 pour celui de papa à Sainte-Anne.
Rien pour maman. Je ne crois pas qu'il existe
des arrondissements au pays des kangourous.
Fanny veut savoir ce que je ferais si je gagnais la
super-cagnotte. Je réfléchis un peu et lui réponds
que j'achèterais une maison en Australie où on irait
habiter avec papa pour voir maman plus souvent.
Et puis des billets d'avion pour que Lola vienne tous
les week-ends. Et des tonnes de bonbons avec une
autre maison rien que pour eux. De toute façon, on
perd toujours ou presque. Samedi, le 4 est sorti, 4
comme Lily. On va aussi chez Edmond, monsieur
fromage. Il surgit toujours de derrière son comptoir
quand il voit Lola et la prend par la main ou par
l'épaule. Il l'appelle « ma petite Lola » et Lola coule
comme le camembert qu'elle vient d'acheter. Elle
choisit aussi des yaourts fermiers, « bien meilleurs
que tous les autres », dit-elle en me regardant. Je
sais bien que je ne verrai jamais un Danone dans
son frigidaire.

Un jour, j'ai demandé à Lola : « Pourquoi tu
n'aimes pas maman ? »

Lola m'a regardé comme si je l'avais piquée avec
un cure-dents.

« Je n'ai rien contre Carole, mon petit.

— Allons, mamie, quand tu dis le mot "Carole", c'est comme si tu mangeais quelque chose que tu n'aimes pas.

— Alors disons qu'elle a fait un choix que je n'apprécie pas beaucoup. Qu'une femme gagne autant d'argent qu'un homme, c'est une bonne chose. Mais au-delà, cela devient compliqué dans un couple, tu comprends ?

— Non, pas tout...

— Les hommes, Simon, sont fragiles et susceptibles. Courageux parfois, mais ceux-là filent doux devant leur mère. Si une femme gagne deux fois plus d'argent que son mari, comment veux-tu que le mari prenne cela ? Il ne se sent pas à la hauteur, voilà !

— Maman a toujours dit à papa que l'argent n'avait pas d'importance. Que tout ce qui était à elle était à lui. Et papa a toujours répondu que c'était pareil pour lui.

— Tu as entendu ça ?

— Oui, quand ils ne se disputaient pas.

— Je ne pense pas que cela soit vrai, Simon. Sinon, ta maman ne ferait pas autant de reproches à ton père. Elle accepterait sa vie un peu bohème.

— Bohème ?

— Ton père aime profiter de chaque seconde. Il tient cela de moi. La vie passe si vite ! Il s'est trouvé un boulot agréable et bien payé, qu'il peut accomplir tranquillement de chez lui. Comme ça, il passe plus de temps avec toi.

— Oui, mais j'ai des tas de copains avec des parents qui travaillent beaucoup et qui rentrent tard le soir. Cela ne les empêche pas d'aimer mes copains.

— Peut-être, mais ta maman est trop souvent partie en Australie.

« — Elle m'aime aussi.

— Bien sûr, Simon, que ta maman t'aime, me dit Lola un peu gênée. Toutes les mamans aiment leurs enfants. »

Comment dire à Lola que maman ne m'a jamais dit « je t'aime » ?

Peut-être me le dit-elle à sa façon quand elle me prend par la main ou quand elle m'emmène à Saint-Germain-des-Prés respirer les bougies parfumées ? Papa, lui, le dit chaque jour et à voix haute : « Je t'aime », quand il vient me réveiller. « Je t'aime », quand il me tend une tartine de pain grillée beurre fondu et confiture aux fraises. « Je t'aime », quand on fait légume le dimanche dans le lit à regarder des DVD. « Je t'aime », quand on joue aux Mille Bornes et aux petits chevaux. « Je t'aime », quand il laisse la porte de ma chambre entrouverte juste avant que je ne m'endorme. Et quand il vient me voir la nuit et qu'il s'assoit au bord du lit, je l'entends toujours chuchoter « je t'aime ». Depuis qu'il est fatigué, pas une seule fois il ne m'a dit « je t'aime ». Mais, quand il sourit, quand il pose sa main sur moi et qu'il me regarde avec ses yeux gris, peut-être que lui aussi, à sa façon, il me dit « je t'aime ». Si ça se trouve, maman est trop fatiguée par les décalages horaires pour me dire « je t'aime ». Papa fait une dépression. Peut-être que maman aussi. Je suis devenu l'enfant sans « je t'aime ». Un orphelin privé d'amour à cause de parents trop fatigués pour le lui dire.

Dans la Mercedes noire de Raoul, le chauffeur, Jérémy est intenable. En trois gorgées, il a bu la petite bouteille d'Évian que lui a donnée Raoul, la bouche vissée au goulot sans respirer. Il a avalé le sachet de Car en sac et la barre de chocolat aux noisettes et au lait comme si c'était la dernière fois qu'il en mangeait et, maintenant, il appuie sur le bouton qui fait descendre et remonter la vitre pour la cinquième fois.

« Trop cool, dit Jérémy. Jamais maman ne me croira quand je vais lui raconter que je suis monté dans une bagnole pareille, avec un chauffeur qui m'appelle "monsieur".

— Tu vois, Raoul, je dis au chauffeur, voilà ce qui arrive quand on appelle des petits garçons comme nous "monsieur". Je suis désolé pour mon copain, il est pas possible ! »

Puis on éclate de rire, Jérémy et moi. On s'enfonce sur le siège et je fais un savon à Jérémy qui m'en fait un à son tour, et on ne s'arrête plus. Le savon, ça consiste à frotter la tête de l'autre très fort avec son poing fermé. Ça fait un peu mal, mais c'est drôle. Raoul n'a pas bougé. C'est à peine s'il nous a regardés dans le rétroviseur. Ses mains à dix heures dix, ses joues bien rasées, il fixe la route, droit devant lui. Je pince Jérémy à la cuisse qui me pince à l'épaule. Ouille ! Je chatouille Jérémy qui me chatouille. On rigole. On est tout rouge. On est les meilleurs amis du monde.

On monte les trois escaliers sans ascenseur de Lola en courant. On arrive tout essoufflés devant sa porte. J'appuie sur la sonnette grenouille qui fait crôa. Lola nous ouvre, le téléphone à la main, plus blanche que le coton. Elle pose sa main sur l'écouteur et nous demande de filer dans sa chambre en attendant qu'elle ait fini sa conversation. Elle a un air triste que je ne lui connais pas. Je pense aussitôt à celui dont on ne doit pas prononcer le nom. Comme elle a fermé la porte de sa chambre, on n'entend rien. Elle ne crie pas, ce n'est pas une dispute. J'ai collé mon oreille et je cherche à comprendre un mot qui me mettrait sur la voie, mais Lola a dû s'enfermer aux toilettes car je n'entends vraiment rien. C'est ce qu'elle fait quand elle ne veut pas que je l'écoute. D'habitude, elle n'a pas cet air triste. Je l'entends même rigoler dans ses toilettes, avec peut-être Edmond le fromager, ou Roger le boucher. Mais pas ce soir.

« Désolée, les enfants, dit Lola en ouvrant la porte de sa chambre. Tout va bien ! »

Lola ne sait pas mentir. Elle se mord les lèvres et ses yeux éteints disent le contraire. Elle nous entraîne dans la cuisine. Sur la table, elle a déjà mis le couvert pour trois. Un saladier de pommes de terre mélangées à des œufs et des herbes, et des tranches de viande froide. Elle pose des tas de questions à Jérémy qui lui répond la bouche pleine. Au début, Jérémy attendait d'avaler sa bouchée avant de parler, mais il avait toujours deux ou trois questions de retard. Elle dit que la prochaine fois Jérémy pourra venir avec Franklin. Je bats des mains. Jérémy dit qu'il faudra, dans ce cas, fermer sa bouche.

« Quand il n'embrasse pas avec la langue, son occupation favorite est de déterrer les plantes », ajoute Jérémy qui a repéré chez Lola toutes les plantes en pot.

La soirée se termine autour d'un Monopoly où j'achète des tas de rues en trichant, sans que personne ne s'en aperçoive. J'ai plein d'hôtels où personne ne dormira jamais. Je suis même allé en prison, tout ça à cause d'un dé. Et tout mon argent ne sert à rien, je ne pourrais même pas acheter un ticket de loto avec. Puis Jérémy nous quitte, trop content de retrouver Raoul le chauffeur.

« Mon petit Simon, je viens d'apprendre une nouvelle un peu triste », me dit Lola, une fois la porte refermée sur Jérémy. Elle passe les mains sur sa robe rouge comme si elle voulait effacer des plis invisibles. « Viens t'asseoir dans le salon. »

Quelque chose me dit que cela n'a rien à voir avec celui dont on ne doit pas prononcer le nom.

« C'est ton père. Rassure-toi, tout va bien, ou presque. Il vient de faire une bêtise. Une grosse bêtise. »

Quel genre de bêtise peut-on faire dans un hôpital ? Tirer la langue au docteur ? Faire son lit en portefeuille ? Pincer une infirmière ? Faire le mur ?

« Il s'est échappé ?

— Oui, en quelque sorte. Pas de Sainte-Anne, mais du mal qui le ronge.

— Il est mort ?

— Grand Dieu, Simon, non ! Qu'est-ce qui te prend de sortir un truc pareil ! »

Lola éclate en sanglots.

« Pourtant, c'est un gentil gars, pourquoi a-t-il fait une chose pareille ? »

Je ne sais pas quoi dire. Voir pleurer mamie me rend tout bizarre. C'est la première fois. Je ne sais pas ce que papa a fait, mais je lui en voudrais presque de faire pleurer Lola. Je ne sais pas non plus pourquoi j'ai demandé à mamie si papa était mort. Parce que j'ai peur de me retrouver tout seul ? J'avance ma main tout en sachant que Lola va sangloter encore plus fort. Mais j'ai besoin de la toucher. Quand on pleure et que quelqu'un vous touche, on pleure encore plus, comme si le fait d'être aimé n'arrangeait rien.

« On ne va pas pouvoir rendre visite à Paul tout de suite, dit Lola entre deux sanglots, ils vont le mettre en isolement. Dans une chambre sans poignées aux fenêtres ni à la porte, avec un lit vissé au sol. Pourtant, avec tout le chocolat que je lui apporte... »

Papa n'est pas mort, c'est déjà ça quand même. Dans les films, quand on meurt, les gens vous pleurent et après ne vous voient plus. La mort, c'est disparaître pour toujours. En même temps, autour de moi, certaines personnes disparaissent et c'est pas pour ça qu'elles sont mortes. Celui dont on ne doit pas prononcer le nom. Et maman d'une certaine manière. Papa la pleure quand elle s'en va au pays des kangourous, même si elle en revient à chaque fois. Papa a fait une grosse bêtise que Lola ne veut pas me raconter. Son pays de la fatigue me semble aussi loin que le bush de maman. Et, à présent, papa ne pourra plus ouvrir ses fenêtres pour contempler la couleur du ciel ni sortir de sa chambre pour mouiller son doigt et sentir d'où vient le vent.

Les grandes personnes sont difficiles à comprendre.

« Mamie, je dis doucement, c'est quoi la grosse bêtise que papa a faite ?

— Simon, j'aimerais te parler comme si tu étais un ami, mais tu es mon petit-fils et tu as neuf ans. Il y a des tas de choses que tu auras le temps d'apprendre. Ce soir, je t'en ai déjà trop dit. Je ne pouvais pas garder tout cela pour moi. Pardonne-moi. Allez, viens, on va se coucher. »

Et voilà. Trop petit pour ceci, trop petit pour cela. *Tu auras le temps d'apprendre.* Non, je voudrais comprendre maintenant. Demain, j'irai voir Lily à Sainte-Anne et je suis sûr qu'elle répondra à mes questions.

J'aide Lola à tout ranger. On fait la vaisselle ensemble, en silence, car Lola n'a pas de lave-vaisselle.

Je me demande ce qu'aurait fait papa chez Lola. Pas de lave-vaisselle pour se blottir. Le four est trop petit, seule sa tête y serait rentrée. Peut-être se serait-il caché derrière les plantes vertes en pot, le nez dans l'encens et la terre mouillée. Ou bien dans la baignoire, tout habillé, les genoux repliés sous son menton. Elle n'est pas grande, la baignoire de mamie.

Lola disparaît dans la salle de bain pour se changer. Elle revient dans un pyjama orange.

« Allez, ouste ! Va te laver les dents ! » me dit Lola dans un sourire qui ressemble à une caresse.

J'ai frotté en haut, en bas et sur les côtés. Puis j'ai tout craché dans le lavabo. J'ai bu un peu d'eau que j'ai fait rebondir dans ma gorge avant de l'envoyer d'un jet dans le trou du lavabo. Mamie vient d'allumer un bâton d'encens, planté dans la terre du cactus. On dirait une longue et fine cigarette qui se fume toute seule. Des fois, dans son bureau, papa allume une cigarette et la pose sur la table en équilibre. Il est si concentré qu'il en oublie sa Marlboro rouge qui ressemble à un bâton de cendres. Lola a arrosé les plantes de son salon avec la carafe d'eau. Elle a peut-être recompté toutes ses grenouilles au cas où l'une d'entre elles se serait échappée. Dans la chambre, elle laisse la petite lumière allumée. Je fais le tour du lit, je me glisse dans les draps et je dis tout bas : « Ça va, mamie ? » Elle se retourne et me caresse le visage.

« Et toi, Simon, est-ce que ça va aussi ? Personne ne te le demande assez souvent.

— Mamie, si tu vas bien, je vais bien. »

Le lendemain, en sortant de l'école, je demande à Raoul de faire un détour par Sainte-Anne avant de rentrer rue Lamarck.

« Raoul, ce sera un secret entre nous. Personne ne doit le savoir.

— Monsieur ne va pas faire de bêtises ?

— Non, Raoul. C'est mon papa qui en a fait une. Je dois aller voir une amie.

— Monsieur a une amie à Sainte-Anne ?

— Oui, Raoul. Et c'est ma meilleure amie. »

Raoul le chauffeur a l'air étonné d'apprendre que ma meilleure amie habite à Sainte-Anne. Il hausse le sourcil, mais il m'y conduit.

Je sais bien que je peux entrer seul à Sainte-Anne, mais j'ai un peu peur. Un monsieur et une dame se présentent et je les suis. J'ai reconnu les grands anneaux aux oreilles de la dame au petit sac, et l'homme à la barbe du père Noël. Je me faufile derrière Hagrid. Voilà, je suis arrivé chez les dingues. Pas besoin de baguette magique pour retrouver Lily. Mais, à chaque fois, elle apparaît. Par contre, je ne vois plus la marelle. L'homme de ménage a dû l'effacer avec son balai serpillière. Je passe devant le jardin où trônent un lion couché et une otarie debout sur ses deux pattes, tous deux en bronze et immobiles pour toujours. La dernière fois que j'ai marché dans ce jardin avec papa, je me suis arrêté sous un grand sapin. À l'une de ses branches, à ma hauteur, était accrochée une petite poupée avec de longs cheveux blancs et une robe rose. Je me suis demandé si cette poupée appartenait à Lily, mais je n'ai pas osé la retirer de l'arbre. Je poursuis sur la grande place, là où surgissent un cheval et son cavalier immobilisés sur un socle. Je m'accroupis pour refaire les lacets de mes baskets. J'aperçois tout près une maison basse aux tuiles rouges d'où sort une dame avec un chapeau melon sur la tête. Elle me demande l'heure et si je veux bien lui donner mes baskets. Elle me fait peur, je m'enfuis sous un porche. De l'autre côté, une statue coiffée d'une couronne surgit dans les feuilles vertes d'un buisson. La dame est toute nue. Elle se tient sur un pied comme une danseuse, l'autre jambe allongée, le bras tendu, le doigt pointé au-delà des murs qui enferment l'hôpital.

Je trouve enfin Lily. Elle porte un pantalon rouge et taille des crayons de couleur. Les petits éventails qui s'en échappent tombent sur ses pieds.

« Bonjour Lily, je dis. Que vas-tu faire avec ces crayons de couleur ?

— J'ai trouvé un trou dans les sous-sols d'un bâtiment. C'est très noir dedans. J'aime bien laisser tomber mes crayons et écouter le bruit de leur chute. Mais là, c'est si profond qu'on n'entend pas le crayon tomber. Peut-être tombe-t-il encore. Je peux enfoncer deux doigts dans le trou, mais c'est tout. Dommage. Si je pouvais, je mettrais toute la main et tout mon bras. Tu ne peux pas savoir comme ça me met en colère de ne pas pouvoir le faire. »

Je me dis que Lily a des drôles de jeux et qu'elle ne ressemble à aucune fille que je connais.

« Je t'accompagne, si tu veux.

— Non, c'est dangereux dans les sous-sols. Et c'est interdit. Si tu te fais attraper, tu ne pourras plus revenir ici.

— Et toi, tu ne te fais jamais prendre ?

— Je cours très vite et je n'ai peur de rien.

— De rien ? T'as de la chance. Moi, j'ai peur de tout.

— Non, tu n'as pas peur de moi.

— C'est parce que tu es ma meilleure amie. Tu m'apprends plein de choses. Comment pourrais-je avoir peur de ma meilleure amie ?

— D'autres ont eu peur avant toi.

— C'étaient des idiots.

— Non, des enfants comme toi qui avaient vraiment peur de tout.

— Un jour, j'aimerais bien te présenter Lola, ma grand-mère. La maman de papa.

— Je l'ai vue au café. Je n'aime pas trop m'approcher des grandes personnes.

— Pourquoi ? je demande.

— Parce que je ne sais pas à quoi elles servent ni ce qu'elles vont me faire. Les grandes personnes ne sont jamais pareilles et, en leur présence, je ne me sens pas du tout en sécurité. Elles sont parfois gentilles, parfois non. Elles sont faites de tas de petits morceaux que je n'arrive pas à relier les uns aux autres. Des fois elles crient, mais ce ne sont que des paroles et rien d'autre. J'ignore même ce qu'elles veulent dire et je m'en fiche complètement.

— C'est drôle, ce que tu dis, parce que quand papa et maman se disputaient je ressentais la même chose. Je ne peux pas dire que je m'en fichais, même si ces paroles ne s'adressaient pas à moi, mais cela me faisait de la peine pour maman ou pour papa, selon. »

Lily a rangé ses crayons dans les poches de son pantalon rouge. Elle porte un tee-shirt blanc et des baskets blanches. Ses yeux violets me regardent et on dirait qu'ils lisent mes pensées.

« Ton papa souffre d'une maladie difficile à comprendre pour les grandes personnes.

— Pourquoi, Lily ?

— Parce que c'est un peu comme un miroir devant lequel personne n'a envie de s'arrêter. Les gens ont tous leurs petites faiblesses, leurs moments de fatigue, de stress, et n'importe qui peut en passer par là. Souvent, les gens pensent que celle ou celui qui en vient à se rendre à l'hôpital pour se faire soigner a baissé les bras. Or, crois-moi, c'est tout le contraire. Le malade qui se fait soigner sait au moins qu'il est malade. Contrairement à tous ces gens qui s'enferment chez eux en essayant de se convaincre que tout va toujours bien. Leur parler de la dépression revient à menacer leur fragile équilibre. Personne n'a envie d'entendre parler de cette maladie qui pourrait bientôt frapper à leur porte. Ton papa est très courageux. Il va s'en sortir grâce à son courage.

— Justement, je dis, il a fait une grosse bêtise, mais je ne sais pas laquelle.

— Ce n'est pas grave, Simon. Ton papa aimerait guérir rapidement. Et comme ça ne va pas assez vite, il fait des bêtises. Le mal qui le harcèle est tenace. N'oublie pas, celui qui est entré en lui n'a pas l'intention de s'en aller de sitôt, et le pousse parfois au pire. Ton papa a fait une tentative de suicide. Il s'est coupé avec un verre qu'il avait rapporté de la cantine. »

Je reste la bouche ouverte comme le poisson qui va mourir.

« Comment tu sais ça, Lily ?

— Parce que j'ai déjà vu plusieurs fois ton papa. J'essaye de faire attention à lui, mais je ne suis pas tout le temps là. Il y a tellement de malades, ici et ailleurs. Et puis, hier, les blouses blanches ne parlaient que de cela. Heureusement une infirmière a eu l'excellente idée de regarder par la petite fenêtre de sa porte au bon moment. Les médecins ont pris ton papa et l'ont soigné aussitôt. Après, ils l'ont emmené dans un autre bâtiment plus surveillé où il ne pourra pas recommencer. Surtout, ne dis rien à personne, et ne pense pas que c'est de ta faute car, pour l'instant, ton papa est tout seul. Il n'a ni mère, ni femme, ni enfant. C'est un homme malheureux, prêt à tout pour briser sa solitude. C'est un peu comme s'il se trouvait au fond d'une piscine très profonde. Comment peut-il remonter à la surface, s'il n'a pas la force de donner un coup de pied ? Quand il ira mieux et qu'il

pourra sortir, propose-lui d'aller nager. Cela
l'aidera à redécouvrir qu'il y a autour de lui de
belles choses. L'eau est un élément important pour
la guérison de la dépression.

— Je ne sais pas comment te remercier, Lily.
Personne ne me parle aussi vrai que toi. Des fois,
j'ai l'impression de ne rien comprendre aux
grandes personnes qui m'entourent. Papa ou
maman se sont dit des choses terribles comme si
je n'étais pas là et, quand il faut dire des choses
vraies, ils tournent autour des mots. Tout
m'échappe, parce qu'il me manque l'essentiel. La
vérité.

— Ils veulent te protéger. Les parents ont tous
été des enfants, et parfois des enfants malmenés,
pas toujours heureux. C'est difficile de faire le chemin inverse avec ses propres enfants.

— Et toi, Lily, tes parents sont comment ? »
Lily m'offre son plus beau sourire. Elle tient serrés ses crayons de couleur dans les poches de son
pantalon rouge.

« Je dois y aller, dit Lily. Après, je risquerais
d'être embêtée par les gardiens dans les sous-sols. »
Je lui fais signe de s'avancer avec mon doigt. Je
me doute bien que Lily ne voudra pas m'embrasser. J'ai remarqué qu'elle n'aimait pas trop les
contacts. Mais je me trompe. Lily s'avance et
dépose un long baiser sur ma bouche avant de
s'enfuir à toute vitesse comme si le diable était à
ses trousses. C'est la première fois qu'on
m'embrasse sur la bouche. Après Franklin, bien
sûr. Mais là, ce n'est pas pareil. Je reste un
moment sur place pour être sûr de ne pas avoir
rêvé ce baiser. Il me semble que la bouche qui m'a
embrassé sentait la fraise. Je pose mon doigt sur
mes lèvres, à la recherche du baiser. Ce qu'il vient

de m'arriver est une belle chose, comme tout ce qui attend papa quand il aura réussi à atteindre la surface.

Les sorcières ont tiré les unes après les autres la sonnette grenouille qui fait crôa. Elles laissent derrière elles des parfums plus piquants que les bougies parfumées de maman. Je les regarde rire, une main sur la gorge, leurs longs cheveux flottant sur leurs épaules. Leurs robes portent les couleurs de l'arc-en-ciel et se soulèvent quand elles marchent ou quand elles croisent leurs jambes en s'asseyant. Elles entourent Lola et lui dessinent un sourire sur sa bouche triste depuis que papa a fait sa grosse bêtise. Elles aiment beaucoup Lola et Lola les aime pareil. Elle m'a dit qu'elle les connaissait depuis toute petite. Ensemble, elles ont souvent fait l'école buissonnière. Ça consiste à ne pas aller à l'école et à faire toute sorte de choses interdites pendant que les cours avaient lieu sans elles. Violette est la plus sage. Elle veillait sur ses amies quand elles buvaient un peu trop tout en dansant dans des boîtes de nuit et les ramenait saines et sauves dans sa Simca violette. Elle s'est mariée très vite avec Edmond le boucher parce qu'elle avait un petit garçon dans le tiroir. Je n'ai pas osé demander à mamie pourquoi Violette avait couché son fils dans un tiroir. C'était peut-être trop petit chez Violette pour ajouter un lit. Violette ne boit que du champagne et aurait aimé que le ciel, la mer, les chemins et les routes soient de la couleur de son prénom. Comme ce n'était pas possible, elle a repeint sa Simca en violet, ses ongles et les murs de son appartement aussi. Rose est la moins sage. Tout ce qu'il ne fallait pas faire, Rose l'a fait. Mamie m'a dit que j'étais trop petit pour qu'elle me l'explique dans le détail. Elle m'a juste confié qu'elle avait fait un séjour en prison et qu'elle aimait beaucoup les hommes, l'alcool et le reste. Je me suis demandé ce que mamie appelait « le reste ». Moi, je ne connais personne qui soit allé en prison, à part les méchants bandits que j'y envoie quand je joue à Cop the Recruit. Et moi au Monopoly. Normalement, quand une personne va en prison, c'est parce qu'elle a tué quelqu'un ou volé une banque. Peut-être que Rose a tué tous les hommes qui l'ont aimée pour mieux les oublier. Ou alors elle a bu énormément et elle a écrasé un policier pour ne pas avoir à payer la contravention. Mais le « reste », qu'est-ce que ça peut être ? Le sucre en poudre qui se respire par les trous de nez ? J'ai vu ça à la télé dans un film américain. C'est nul. C'est bien meilleur sur des fraises avec de la chantilly. Parmi les sorcières, il y a aussi Églantine. C'est elle qui a fait découvrir les séances de verre à Lola. Mamie dit qu'elle préfère les morts aux vivants. Églantine les trouve moins encombrants et plus fiables. Elle aime imaginer à quoi ils ressemblent, décide si les esprits sont minces ou bruns ou jeunes. Elle les habille d'un blouson en cuir ou avec un caleçon. Elle ajoute des cheveux longs, un tatouage, une barbe. Mamie dit qu'elle en fait souvent des motards. La sorcière la plus rigolote s'appelle Patricia. Elle adore les plumes. Elle en porte sur ses robes, sur ses chapeaux, et autour de son cou. Mamie m'a dit qu'autrefois elle travaillait dans un cirque, derrière le guichet. Elle est tombée amoureuse d'un trapéziste qui l'a fait passer de la terre au ciel. « Quand on aime, Simon, on est capable de tout, m'a dit Lola. Patricia a travaillé dur pour se faire aimer de son acrobate. C'est dans les airs qu'ils ont échangé leur premier baiser. » Ce qui est sûr, c'est que je ne serai jamais amoureux d'une acrobate. J'aurais tellement peur de tomber que j'en oublierais de l'embrasser.

Rose tourne un peu plus le bouton de la radio qui passe une chanson de Diana Ross. Elle attrape la main de mamie et la force à se lever pour danser avec elle. Toutes les sorcières se lèvent et se mettent à danser. Elles secouent leurs têtes, ferment leurs yeux, lèvent les bras très haut comme si elles cherchaient à toucher le plafond. Je sens une main prendre la mienne et m'entraîner dans le cercle. Je lève le nez. Violette me fait tourner avec sa main aux ongles violets. Je lève un pied et puis l'autre, je remue mes fesses. Je fais un peu n'importe quoi, mais je m'amuse.

Souvent, avenue Paul-Doumer, je danse avec papa dans le salon. Papa pousse les grands fauteuils blancs, glisse dans la chaîne le CD de Madonna ou des Black Eyed Peas et c'est parti. Je ferme les yeux. Je me concentre sur la musique. Je la laisse entrer en moi. Je la sens couler comme une boisson pétillante dans mes bras, dans mes jambes, sous mes doigts de pieds. Le boum boum m'enveloppe tout entier à m'en donner le tournis. J'ai l'impression que tout le salon saute avec moi, le canapé, les fauteuils blancs, les bibliothèques de livres et de CD, les lampes marron, les cadres sur les murs. Papa ressemble à un vrai danseur, il tourne sur lui-même, s'arrête sur un pied sans bouger, fait onduler ses épaules et sa tête, qui, soudain, plonge en avant avec ses bras. Il passe d'un pied à l'autre comme si la musique suivait ses mouvements. Un jour, il a même craqué son pantalon et j'ai reconnu son caleçon à rayures bleues et blanches qu'il porte souvent les dimanches de grasse matinée.

J'observe Lola qui s'amuse aussi, elle glisse sous le bras de Rose, danse sur la pointe de ses pieds nus. Elle vient de balancer ses sandales loin devant. Les sorcières en font autant. Je fixe tous ces pieds nus aux ongles rouges, violets, verts ou jaunes qui se mélangent les uns aux autres. Tout à coup, la musique s'arrête net. Les sorcières sont surprises, leurs gestes suspendus redescendent lentement. Lola tousse un peu et va s'effondrer dans son fauteuil chocolat. Elle se sert de sa main comme un éventail et rigole. Les sorcières ouvrent grand les fenêtres pour laisser entrer un peu d'air frais. Violette prépare la table avec les lettres du Scrabble, le « oui » et le « non », et le verre à pied. Elle assemble les chaises autour de la table et m'invite à poser la première question. Les sorcières sont assises, elles me regardent.

« Mamie, est-ce que je peux poser la question dans ma tête, sans que personne ne l'entende ?

— Oui, mon chéri, tu peux. »

Je pense à la jolie plage d'Alcudia, aux transats bleu et blanc, et je me demande si cet été on pourra y aller tous les trois, papa, maman et moi. Alors je pense très fort au sable qui brûle les pieds juste après le déjeuner et à nous trois courant jusqu'à la mer et se laissant tomber dans l'eau comme si on sautait d'une fenêtre.

Les sorcières ont tendu leurs bras, effleurent le verre de leurs doigts colorés. Le mien paraît si petit à côté. Le verre hésite. Il tourne un peu sur lui-même. Il va d'abord vers le « oui », puis repart et s'arrête sur le « non ».

« Ça veut dire quoi, mamie ?

— Ça veut dire peut-être, Simon. L'esprit veut te dire que ça dépend de quelque chose. Demandons-lui son prénom. Les esprits sont susceptibles. »

Le verre glisse d'une lettre à l'autre.
E.D.M.O.N.D.

« Dieu du ciel, dit Violette. C'est mon mari ! »

Toutes les sorcières rigolent. Lola fait retentir un chut qui étouffe leurs rires.

« Edmond, reprend Lola, dis-nous de quoi dépendent les "oui" et "non" que tu as donnés à Simon. »

Le verre, cette fois, se dirige très lentement vers les lettres. Il commence par le V, s'arrête un instant puis se déplace vers le E. Ensuite, rapidement, vers le R. De nouveau, immobile, comme si le temps n'avait pas d'importance. Tous nos yeux sont plantés sur ce verre à pied. Il se décide enfin et donne les trois dernières lettres, I, T, E.

V.E.R.I.T.E.

Lola me fixe. Son visage est inquiet comme à l'hôpital.

Violette en profite pour sortir de son sac une petite boîte qu'elle ouvre sous le nez de Lola. Elle en tire un plumeau qu'elle balaye sur les joues de Lola en les touchant à peine. Elle glisse son doigt sous le menton de mamie, recherche les traces laissées par le plumeau et, satisfaite, range la petite boîte dans son sac violet.

« Et si nous allions voir Fortuné ? dit Violette à Lola. Cela pourrait te distraire et amuser Simon !

— Oh, oui, dit Églantine de ses lèvres noires. On mangera toutes une barbe à papa. »

Se tournant vers moi, Violette ajoute : « Fortuné est un ancien fiancé de Lola. Le fiancé d'avant celui dont on ne doit pas prononcer le nom.

— Juliette, ça suffit ! » dit Lola en souriant.

On dirait que Violette vient de lui proposer son gâteau préféré. Toutes les sorcières s'agitent, récupèrent leurs chaussures. Lola vient de téléphoner à Fortuné, il est impatient de voir toutes ces dames. Lola n'a pas de voiture. Pas de permis non plus. Papa dit que ça vaut mieux et qu'elle serait un sacré danger public sinon. J'appelle Raoul, qui nous conduit, mamie, Rose, Patricia et moi. Violette emmène Églantine dans sa Simca repeinte. Direction la Foire du Trône.

« Mamie, qui est Fortuné ? je demande tandis que Rose me pince sur les côtés.

— Fortuné est un forain, mon chéri. Il préside la Foire du Trône depuis peu. Je l'ai connu avant ton grand-père.

— À Orlando ! ricane la sorcière qui m'a pincé.

— Oui, aux États-Unis, dit mamie, quand il travaillait chez Disney.

— À ce moment-là, ta grand-mère se faisait appeler "Minnie petite souris" par Fortuné, qui l'aurait volontiers croquée.

— Voyons, Patricia, grogne Lola, Simon est un enfant, je te rappelle. »

J'imagine mamie en Minnie petite souris avec deux grandes oreilles, de fines moustaches, une longue queue, poursuivie par un monsieur qui travaille chez Disney avec une grande marmite et une cuiller en bois géante.

« Mamie, tu étais amoureuse ?

— Simon !

— Ben quoi, c'est une question.

— Oui, je l'étais. Et puis, tu sais qui est entré dans ma vie. Point. Ça te va, petit curieux ?

— Ça me va ! »

Nos deux voitures sont rangées l'une à côté de l'autre dans le parking. Toutes les sorcières, Lola et moi sommes à nouveau réunis. Lola a demandé à Raoul de venir avec nous et Raoul a failli s'étrangler. Du rouge, sa figure est passée au mauve.

« Je vous remercie, madame. Mais je préfère vous attendre à l'extérieur.

— Ici ? a demandé Lola en balayant le grand parking de son bras.

— J'écouterai la radio, madame. Prenez votre temps. »

Les sorcières piétinent, elles s'impatientent. Elles ont l'air toutes d'accord sur la barbe à papa et la grande roue où je ne monterais jamais, mais elles hésitent sur la première attraction à faire ensemble. Violette propose les autos tamponneuses, et personne ne lui répond à cause de Lola qui fait de grands signes à un monsieur qui s'approche de nous. Un géant avec un tee-shirt où on mettrait deux papas comme le mien. Il n'a pas de cheveux et une boucle dorée pend à son oreille gauche. Il ressemble un peu au monsieur Propre de la télé. Il soulève Lola comme si elle pesait autant qu'un bol de petit déjeuner, l'embrasse fort sur ses deux joues, puis il la repose à terre. Lola fait glisser ses doigts sous ses cheveux comme si les baisers l'avaient décoiffée.

« Salut les filles ! » dit monsieur Propre.

Il les connaît toutes par leur prénom. Il les embrasse, les unes après les autres, mais sans les soulever de terre. Et toutes se recoiffent aussitôt après. Ça doit être un truc de femmes. C'est comme papa qui fume ses cigarettes, ça l'occupe pendant qu'il pense à autre chose. Le géant s'approche enfin de moi et me soulève si haut que j'en ai des fourmis qui me mangent les pieds. Avec lui, c'est la grande roue sans avoir à y monter. Quand il me dépose sur terre, j'ai un peu le tournis.

« Ça va, petit bonhomme ? Moi, c'est Fortuné.

— Ça va, géant, je dis, moi, c'est Simon ! »

Ça fait rigoler Lola et pouffer les sorcières. Je suis content de moi. Je rigole et ça fait rigoler crâne chauve.

Il offre à chacun de nous un ticket doré qui donne accès à toutes les attractions sans payer. À l'entrée de la fête foraine, des gens de la sécurité fouillent les visiteurs. Le monsieur qui cherchait un revolver dans ma poche a l'air un peu déçu en se relevant. Il me fait penser à Hulk. Le vrai, pas papa. Sa main est si grosse que je pourrais m'asseoir dedans. Il me fait signe d'avancer. Partout des lumières qui clignotent, des rouges, des blanches, des bleues, des vertes. Le ciel est descendu dans la fête foraine. Les étoiles s'amusent. Je respire des odeurs de frites et de sucre. La musique cogne à mes oreilles comme si elle n'entrait pas encore assez en moi. On fait un premier arrêt devant le marchand de barbes à papa, le papa pas rasé a un goût sucré. Je voudrais cacher mon visage dans ce coton tout rose et retrouver le parfum citron qui me manque tant. Fortuné marche devant nous. À son passage, la foule s'écarte comme par magie, il est suivi des sorcières colorées qui arrachent de leurs dents rouges des nuages de sucre rose. Lola et moi nous tenons la main. L'autre main ne lâche pas le bonbon géant. Fortuné se retourne et me propose de monter sur le trampoline araignée. J'ai un peu peur à cause du mot « araignée », ce petit monstre plein de pattes que papa a dû écraser un jour dans ma chambre, sorti du dessous de mon lit. Je criais si fort que j'entendais plus après. Je dis « oui » à Fortuné, parce que je n'ai pas envie qu'il me coure après avec une marmite et une cuiller géante.

Un monsieur à casquette me demande de retirer mes baskets et mes chaussettes, et de monter sur une petite balance plate pour me peser. Trente-quatre kilos. Puis il enroule une grosse ceinture autour de ma taille qui passe aussi entre mes jambes et se referme devant avec un crochet. Je me sens tout ficelé comme le poulet que papa met au four le dimanche soir. Sous la casquette du monsieur, deux grosses moustaches brunes me sourient. Je ne dois pas mordre ma langue et il faut toujours poser mes deux bras sur les élastiques. Je souris à Lola et aux sorcières qui me regardent en se chuchotant des trucs à l'oreille que je n'entendrais jamais. Clac. Lola prend une photo. Je cherche le géant des yeux, mais je n'ai pas le temps de dire « oups » que mes pieds nus décollent déjà. Je bondis dans les airs plus haut que les oiseaux, mon cœur va s'arrêter de battre tellement il bat. J'ai peur et je n'ai pas peur. De là-haut, je vois les manèges du parc, Lola et les sorcières qui forment des taches de couleurs. Je redescends aussi vite que je suis monté. Je reviens à peine chez les humains que le géant fait un signe au monsieur à casquette et, hop, je perce les nuages, les avions du manège d'à côté volent plus bas que moi. J'ai l'impression que mon cœur se cache quelque part dans mon ventre. Je ne regarde plus personne.

Mes bras sont devenus des ailes géantes. Je vole au-dessus de l'avenue Paul-Doumer. Les fenêtres du bureau de papa sont ouvertes. Je m'y pose. Papa travaille sur son ordinateur, le casque sur ses oreilles. Des tas de livres s'entassent en pile près de lui. Sa main droite court sur le clavier, la gauche s'ennuie. Les heures passent, papa bâille sans fermer sa bouche comme le lui demande maman. Bientôt il s'endort sur la table, la tête enfouie dans son bras. Les livres se mettent à battre des pages, comme les oiseaux battent des ailes, et me retrouvent sur le bord de la fenêtre. Nous volons haut dans le ciel, les mots glissent des pages, dégringolent doucement dans la nuit, les lettres se détachent, une pluie d'alphabets recouvre l'avenue Paul-Doumer.

J'ouvre les yeux, deux grandes moustaches brunes me sourient.

« C'est fini, mon petit », dit le monsieur à casquette qui me détache.

Je refuse de monter dans la chenille qui s'écrase dans l'eau et fait des vagues géantes. La chenille me fait peur, mais je ne le dis pas. Les sorcières se sont regroupées devant un stand de tir et tuent des ballons. Violette a gagné un ours en peluche avec un tablier qui s'appelle Castor, et Patricia une girafe avec un bonnet et une écharpe qui s'appelle Colette. Je cours vers d'immenses ballons qui roulent sur l'eau. Fortuné me souffle à l'oreille que je vais marcher sur l'eau comme le petit Jésus. Les sorcières battent des mains. On dirait qu'elles ont mon âge. C'est la potion magique de la barbe à papa. Lola entre la première dans le ballon par une fermeture Éclair que le monsieur ouvre avec ses mains comme la bouche géante d'un lion. Avant, il lui a fait retirer ses chaussures. Le ballon est encore tout mou. Alors un monsieur très maigre fait passer un tuyau jaune par la fermeture Éclair du ballon, et le ballon se gonfle avec mamie dedans qui n'a pas l'air très rassurée. Les sorcières se sont dispersées, chacune dans son ballon et, zip, remonte la fermeture Éclair avec le tuyau jaune qui fait grossir tous les ballons. Violette avance dans son ballon pareil à la dame sur le devant des bateaux. Sa robe flotte comme une voile. On dirait qu'elle fait cela tous les matins après son petit déjeuner. Et non, elle tombe, sa robe toute retournée, sa joue couchée sur l'eau. Moi aussi, et Lola et ses copines sorcières aussi. Personne ne peut marcher sur l'eau. Pour l'instant, on rampe. Je me redresse doucement comme les fauves dans la savane, j'essaye de trouver mon équilibre dans cette bulle géante.

Je me demande si les kangourous marchent sur l'eau. Maman, un jour, m'a envoyé une carte postale où on voit un kangourou faire du vélo. Au dos, elle a écrit en grosses lettres : « Maman pense à toi ». Moi aussi, maman, je pense à toi, même dans ce ballon géant où je dois marcher sur l'eau comme le petit Jésus. Je fais de tout petits pas, presque l'un devant l'autre. Lola s'est assise pour de bon. Elle attend son prince charmant de l'autre côté du bassin. Violette marche à quatre pattes dans sa bulle et fait un signe à monsieur Propre pour dire qu'elle aimerait bien en sortir. Alors Fortuné fait glisser la fermeture Éclair et la prend par la main. Autour de moi, les ballons géants filent sur l'eau bleue couleur piscine. Les sorcières peuvent à peine se lever qu'elles retombent aussitôt comme des poupées molles. Des tas de parents avec leurs enfants regardent les sorcières avec des yeux ronds. Eh oui, il n'y a pas que des petits dans ce bassin ! Toutes les bulles ont éclaté maintenant, les sorcières ont saisi la main de Fortuné qui attend sa princesse. Lola, la princesse, n'est pas pressée. Elle donne de temps à autre un coup de rein pour faire avancer le ballon géant. Elle se relève au port, passe ses mains sous ses cheveux et sort du ballon sans prendre la main de son prince charmant. Elle se contente de l'embrasser sur la joue. Le prince n'a pas dit son dernier mot. Il soulève Lola et la fait tourner tout autour de lui comme un manège rien que pour elle.

« Descends-moi de là, gros bêta ! » dit Lola.

Mais ses yeux disent le contraire.

Les sorcières ont sauté dans les voitures miniatures. Les autos tamponneuses ont plus de couleurs que les sorcières réunies. Une antenne qui finit sa course dans un rail, coiffée d'un drapeau coloré, un volant comme un jouet, un siège aussi dur qu'un tabouret de cuisine. Dans ce manège, les accidents sont obligatoires. Et, en plus, même pas mal ! Devant, sur les côtés, à l'arrière, boum, les fesses décollent du tabouret, boum, les lumières clignotent, la musique couvre à peine les cris. Je suis assis à côté de mamie qui se débrouille bien sans permis. Papa n'a pas tort quand il dit qu'elle serait un vrai danger public. Elle s'agrippe au volant, regrette presque que la voiture coccinelle n'avance pas plus vite. Elle est bien décidée à emboutir toutes les sorcières. Mais on n'est pas sorcière sans magie. Violette vient de faire un demi-tour à toute vitesse pour éviter de justesse le bolide de Lola. Et c'est elle qui nous poursuit maintenant. J'ai juste le temps de prévenir mamie, boum, Violette nous heurte à l'arrière, la coccinelle fait un bond et, boum, percute la voiture de devant qui n'a rien demandé. Une dame de l'âge de maman se retourne un peu étonnée. Elle pensait faire son petit tour de voiture tranquille. S'en aller sans un boum avec son jouet. Lola lui sourit. Les autos tamponneuses devraient sortir de la Foire du Trône et rouler dans Paris, l'antenne vissée au ciel. Les gens se rentreraient dedans en souriant. J'imagine la place du Trocadéro ou celle de l'Étoile encombrées d'autos tamponneuses qui, au lieu de s'éviter, chercheraient l'accident obligatoire, sous le regard amusé d'un policier qui collerait des contraventions à tous ceux qui voudraient s'en sortir sans un boum. Lola est déçue, sa voiture n'avance plus. La sirène a retenti, le tour est terminé, on descend de nos petites voitures de couleurs qui regardent s'éloigner les sorcières avec tristesse.

Mamie m'entraîne dans le train fantôme et je n'ose pas dire non. Les sorcières s'éloignent à grands pas vers la grande roue en rigolant. Je les envie presque. Moi, j'ai un peu de mal à avaler ma salive. Tout autour du train, des monstres horribles me lancent des regards furieux. Leurs yeux sont immenses. Ils n'ont que trois longs doigts à chaque main, avec au bout de grands ongles sales. Certains portent de travers des chapeaux déchirés, d'autres des masques comme s'ils ne pouvaient pas respirer notre air, sur leurs nez de menteurs qui s'en échappent. Je tiens la main de mamie si fort qu'elle en devient toute blanche. « Tu as de la force, mon petit, dit mamie. Les monstres te font peur, c'est ça ? Ils sont en plâtre, tu n'as rien à craindre ! »

Je relâche un peu de pression. Un peu. Mamie ne sait pas que le monstre se cache sous le plâtre et qu'il peut surgir à tout moment de sa prison pour se venger. Je m'assois dans le petit wagon à côté de mamie. Je tiens la barre d'une main et, de l'autre, ne lâche pas celle de Lola. La porte fermée devant nous ne m'inspire aucune confiance. Soudain, des doigts se posent sur mon épaule. Je crie. Mamie rigole. C'est le monsieur du guichet qui m'a fait une blague. Je le tue d'un regard. Puis le petit wagon fonce droit sur la porte qui s'ouvre au dernier moment. Je ferme les yeux. Pas question de rêver, je ne pourrais pas me concentrer. Un truc me frôle le dos tandis que le wagon prend de la vitesse. C'est peut-être les longs doigts avec leurs ongles immenses. J'entends des rires terribles à mes oreilles, des rires méchants qui frappent comme s'ils voulaient entrer en moi. Mamie pousse des petits cris et rigole en même temps. Comment peut-on rigoler dans une ambiance pareille ? J'ouvre un œil sur un petit cercueil et je le referme aussitôt. Et si un monstre m'attrapait du wagon pour m'enfermer dedans ? Des tas de lumières clignotent dans le noir. Je les sens sous mes paupières fermées. Je me dis que les monstres ont peut-être peur du noir eux aussi. Ça me rassure un peu, mais pas longtemps. Je hurle. J'ai senti quelque chose me caresser la tête et ça n'a rien à voir avec papa, ni avec les vendeuses des boutiques de maman. Une main gluante a mouillé mon crâne. Je me demande si elle n'a pas posé un œuf de monstre prêt à naître sur ma tête. Je n'ose pas vérifier. Le wagon circule toujours et défonce des tas de portes ou bien des monstres qui agitent leurs bras sur notre passage, je ne sais pas. Je n'ai pas envie d'ouvrir les yeux, même d'un millimètre. D'autres mains se posent sur mon épaule, chatouillent ma nuque, j'entends même une trompette qui me rend sourd un instant. J'aurais préféré quelque chose qui enlève toutes mes peurs. Je suis dingue d'avoir accepté de monter dans ce train fantôme. Je dois apprendre à dire non. Je demanderai à Lily. La lumière du jour brûle mes paupières. J'attends d'être sûr avant d'ouvrir les yeux. C'est peut-être une ruse de sioux des monstres pour me faire croire que la promenade en enfer est finie.

« Simon, dit Lola, descends de là, d'autres enfants attendent de monter dans les wagons ! »

Je ne me le fais pas répéter deux fois. J'ai envie de dire à tous les enfants de ne pas monter, mais je n'ose pas.

« Tu es tout blanc, mon petit, me souffle Lola un peu inquiète. Je vais t'emmener chez un maquilleur qui va te redonner des couleurs et te changer en chien. »

L'option kangourou n'existe pas au pays des maquilleurs. Je suis assis sur un siège, Lola près de moi. Fortuné est parti rejoindre les sorcières. Si j'aboie, ils ne m'entendront pas. Lola voulait se faire maquiller en chat, le monsieur aux pinceaux lui a dit que c'était uniquement pour les enfants sages.

« Je n'ai jamais été une enfant sage », a répondu mamie.

Le monsieur qui s'est penché sur moi avec ses pinceaux sent fort et ce n'est pas du citron. Ce n'est pas un parfum non plus. J'ai reconnu l'odeur du vin rouge que papa aime boire le soir. Je sens le pinceau sur ma peau dessiner des lignes, une petite éponge me mange le bout du nez qui respire le vin rouge.

Je cours sur une mappemonde géante qui tourne lentement. Mes baskets écrasent les montagnes, surfent sur les mers, courent dans les campagnes, les villes, les villages sans que j'aie le temps de m'attarder sur une fleur, un gratte-ciel ou une vache. Dans ces pays que je traverse, il n'y a pas d'humains. Les maisons sont désertes, aucun berger ne garde les moutons, le verre des immeubles reflète un ciel toujours bleu et seuls les oiseaux se regardent, un peu étonnés, dans ces miroirs où s'admire aussi le soleil. Sur les plages, les transats repliés sont enchaînés aux parasols. Les nuits ne durent pas longtemps, et la lune est toujours très haute et très ronde. Le temps de franchir deux montagnes, une mer et trois villes, le jour renaît et la lune, dans cette course du temps, flotte dans le ciel sans nuages. Au détour d'un gratte-ciel plus haut que les autres, je tombe dans un trou si profond que je n'en vois pas le fond. La chute est longue et, pourtant, dans ce tunnel noir, je n'ai pas peur. J'aperçois les crayons de couleur de Lily à la mine bien taillée qui m'accompagnent dans cette interminable descente. J'essaye d'en attraper un mais, chaque fois, j'échoue. Ce sont bien les crayons de couleur de Lily, aussi inaccessibles que la main qui les a lâchés. Tout en bas, j'entends la chanson

de Madonna sur laquelle on aime danser avec papa.
Puis je me sens aussi léger qu'un fil quand je tombe
sur un vélo. Les crayons de couleur ont disparu. Je
pédale sans savoir où cette route va me mener. De
chaque côté, le vert des campagnes s'étend à perte de
vue. La route s'arrête enfin devant une maison aux
tuiles rouges qui ressemble à celle de Sainte-Anne avec
la statue de la dame nue devant. Je descends de vélo,
j'ouvre la porte de la maison aux tuiles rouges, je
monte les escaliers, de plus en plus vite car j'entends
maintenant la chanson se rapprocher. À la dernière
marche, j'entre dans une pièce qui me paraît immense.
Au milieu, une table très belle avec une longue nappe
blanche et des chandeliers très hauts qui portent des
bougies carrées. Je reconnais le parfum de ses bougies.
Je m'assois dans l'un des trois sièges. Sur la table, des
assiettes blanches cerclées d'un filet d'or et rouges à
l'intérieur. Papa entre dans la pièce avec un plat
fumant, il me sourit. Je sens la caresse d'une main,
je me retourne. Maman tient une bouteille d'eau
et me demande si j'ai soif.

Faut-il aller si loin pour les voir ensemble ?

J'ouvre les yeux. Clac. Lola prend une photo. Le
monsieur qui sent le vin rouge me tend un miroir.
Je vois deux longues oreilles peintes qui tombent
sous mon menton, et un museau sur mon nez qui
s'allonge. Des petites moustaches très fines qui s'éti-
rent sous mon museau. Un œil blanc, l'autre noir.
Une peau marron clair. J'ai envie de mordre. Je
suis un chien sur deux pattes, mais un chien quand
même. Je me tourne vers Lola qui applaudit. Les
pinceaux du monsieur qui sent fort sont des
baguettes magiques. Main dans la main, nous par-
tons rejoindre les sorcières et Fortuné quelque part
dans le ciel. Je préfère m'asseoir et ne pas lever
les yeux. Le vertige ne vient pas seulement quand

on regarde en bas, des fourmis me mangent aussi les pieds quand j'essaye de repérer la petite cabine de la grande roue où je n'aimerais pas me trouver. La roue ralentit, pour que les gens puissent descendre ou monter. Le géant descend en premier. Il dépasse toutes les personnes d'une tête. Les sorcières le suivent de près. Pas besoin de compter, tout le monde est là. Rose me demande si je peux donner la patte. Je grogne. Violette me trouve trop craquant en chien. Patricia veut remplacer les bonbons par des croquettes. Je hausse les épaules. Lola propose un pique-nique de nouilles, rue Lamarck. Fortuné est invité. Il passe deux coups de fil de son portable. Il est libre.

Raoul est content de nous voir revenir. Il jette la cigarette qu'il fumait entre le pouce et l'index. Je la vois rouler sous une camionnette. Fortuné et Violette montent avec moi à l'arrière de la Mercedes noire. Pas de place pour Patricia, Fortuné compte pour deux. Elle court rejoindre ses copines, la main sur son chapeau pour qu'il ne s'envole pas.

« Ben dis donc, dit Fortuné, une vraie vie de princesse, on dirait !

— Ne rêve pas, dit Lola, c'est surtout le chauffeur de Robert qui conduit Simon à l'école.

— Robert ? Tu le vois toujours ?

— Mais non, gros bêta ! J'ai seulement conservé son carnet d'adresses.

— Alors, c'est toi, le prince ! » rigole le géant en me regardant.

Le prince de quoi ? D'un papa très fatigué qui vient de se rater ? D'une maman trop loin pour le savoir ? Oui, Lola n'a pas voulu le dire à maman. Elle m'a dit que cela ne la ferait pas revenir et qu'elle s'inquiéterait plus que nous à cause des vingt-quatre heures d'avion qui nous séparent. Je n'ai pas envie d'être un prince. Seulement un petit garçon comme les autres, qui marche entre ses deux parents. Je ne dis rien parce que je ne veux pas gâcher le pique-nique de nouilles. Je réponds juste :

« Non, moi, je suis juste le chien du prince.

— Il est drôle, ce môme, dit Fortuné.

— C'est de famille », dit Lola.

Pourtant, ce soir, je suis *vraiment* un chien. Un chien perdu sans maître et sans collier. Je n'ai qu'à lever la patte et faire pipi où je veux. Personne ne me dira rien.

Fortuné demande à Raoul de s'arrêter le temps d'acheter du champagne.

Lola fait les gros yeux, mais Fortuné dit qu'on ne peut pas manger des nouilles sans champagne. Les gros yeux de mamie disparaissent dans un sourire. Elle dit : « Les hommes sont des mômes ! »

Chez Lola, les sorcières ont rangé les lettres du Scrabble. Adieu Luigi et Edmond. Ni « oui » ni « non », ce soir, c'est pique-nique de nouilles. Le verre à pied sur la table est à l'endroit et rempli de champagne. Fortuné propose un toast et lève son verre en direction des sorcières qui lui sourient. Fortuné se penche vers moi, un verre à moitié rempli, et regarde Lola qui fait « oui » avec la tête.

« Bonne santé à toutes et à tous », dit Fortuné avec un air sérieux que je ne lui connais pas.

Alors je lève mon verre en pensant très fort à papa qui en a plus besoin que moi et, à voir Lola fermer les yeux en levant le sien, on a pensé pareil. Elle a tendu sa main, je suis venu contre elle.

« Attention, mon petit Simon, me dit Lola tout doucement. Ne bois pas trop vite ou tu vas être pompette. »

Patricia et Violette ont fait une pile d'assiettes et de couverts. À la cuisine, l'eau bout dans une grosse marmite. Mamie a ajouté de l'huile d'olive pour que les nouilles n'attachent pas. Dans une petite casserole, elle fait fondre du beurre et un roquefort entier. Elle verse la marmite de la passoire au grand saladier qu'elle a rapporté d'un voyage au Maroc. Puis la sauce au roquefort sur les nouilles fumantes. Elle entre dans le salon sous les bravos des sorcières qui ont bu plus d'un verre de champagne. Elles sont déjà pompettes, les yeux un peu rougis, et parlent fort comme la dame à Meudon. Fortuné doit aimer ça car il n'arrête pas de remplir les verres à pied que lui tendent les sorcières. Je vois bien le géant se faire plus petit quand il contemple Lola, mais Lola préfère ses copines. Elles se racontent des tas de secrets à l'oreille que ni moi ni Fortuné n'entendront jamais. Et, quand les nouilles ont disparu de nos assiettes, Lola nous offre un thé à la menthe en faisant monter haut la théière. Alors Fortuné se rapproche de Violette, à défaut de Lola. Violette embrasse le dessus de son crâne parce que « ça porte chance ». Puis toutes les sorcières s'envolent avec le géant. Avant de partir, Fortuné me fait cadeau de plusieurs tickets dorés. J'en ai gardé un pour papa, un pour maman, un pour Jérémy, et j'ai rangé tout ça dans un livre de Lola qui s'appelle *Ayez pitié du cœur des hommes* et que j'ai remis à sa place dans la bibliothèque. Avant de me coucher, Lola m'a rincé le visage pour faire disparaître le chien qui a fondu en eau noire et marronnasse dans le trou du lavabo.

Le nouveau docteur de papa a décidé que l'air de la mer lui ferait le plus grand bien. Lola me dit aussi que nous ne retournerons pas à Sainte-Anne avant le départ de papa pour Montpellier, parce que papa a besoin de calme après sa grosse bêtise. Je me demande s'il y aura des transats bleu et blanc dans la nouvelle clinique de papa, avec une jolie vue sur la mer de la fenêtre de sa chambre où je ne pourrais pas entrer.

Les infirmiers se promènent sur la plage en maillot de bain blanc et proposent des petits bonbons pour aller mieux ou pour dormir. Les malades sont tous en pyjama, allongés sur des transats blancs, à l'ombre d'un parasol blanc. Ils n'ont pas besoin de crème solaire parce qu'ils ne peuvent pas enlever leur pyjama. C'est interdit par le règlement. Sinon, sans pyjama, les malades seraient comme des personnes en vacances et pourraient s'échapper. Ils iraient s'asseoir à côté d'une famille, et l'infirmier à peau blanche pourrait les prendre pour un oncle, une tante ou un grand frère et les oublier sur la plage. Là-bas, à Montpellier, papa ne connaît personne. Il est le seul malade à écouter les médecins et les infirmiers. Il ne cherche pas à s'échapper. Une infirmière en robe blanche lui apporte, chaque soir, un verre de Get 27. Il le boit avant de s'endormir. C'est le règlement.

Moi, je n'ai ni tante ni oncle. Papa et maman n'ont pas eu de frère ni de sœur. Lola dit que papa est fils unique et maman fille unique. Comme moi. Lily a raison. *Les grandes personnes ne sont jamais pareilles et, en leur présence, je ne me sens pas complètement en sécurité. Des fois elles sont gentilles, des fois non. Elles sont faites de tas de petits morceaux que je n'arrive pas à relier les uns aux autres. Parfois il leur arrive de crier, mais ce n'est que des paroles et rien d'autre.* Je me demande parfois pourquoi maman ne m'embrasse pas. Pourquoi elle n'est pas là quand papa est malade. Et pourquoi elle part aussi loin. Je finis par croire que c'est de ma faute. Mais j'ai beau fouiller dans mon crâne, je ne vois pas ce que j'ai fait de mal. C'est comme ça. Les grandes personnes changent d'humeur tout le temps. Comme papa, qui m'embrassait si fort, pourquoi s'est-il caché dans un lave-vaisselle ? Depuis, il est tout le temps fatigué, ses yeux ne sont plus verts, il ne sent plus le citron. Ses yeux gris me regardent comme si je n'étais pas là. Sa barbe pousse comme de la mauvaise herbe. Ses chemises sont froissées. Ses lèvres tremblent. Celui qui est entré en lui me l'a enlevé. Est-ce ma faute ?

Lola me regarde.
« À quoi pensais-tu, mon chéri ?
— À rien, mamie. Je reposais mes yeux. »

« Dis, mamie, il était comment, papa, à mon âge ?
— Comme toi. Sage, rêveur et curieux. Il posait plein de questions.

112

— Il faisait des bêtises ?

— Oh oui, plus que tu n'en as jamais fait. J'étais seule pour l'élever, mais à l'abri du besoin. Je pouvais ne plus travailler comme avant.

— Tu faisais quoi comme travail, mamie ?

— Je tenais une boutique de lingerie féminine.

— C'est quoi, la lingerie, mamie ?

— Des petites culottes, des soutiens-gorge, des nuisettes. Tout ce qu'une femme met dessous ses robes ou ses chemises de nuit pour affoler les hommes !

— Ben dis donc, mamie, ça m'a l'air un peu…, enfin tout ça, tu vois ce que je veux dire !

— Quand tu seras grand, tu ne diras plus cela. C'est naturel et élégant pour une femme de porter de la lingerie. Et puis ma boutique avait du succès.

— Et celui dont on ne doit pas prononcer le nom, il faisait quoi comme travail ?

— Ton grand-père s'appelle Robert. Il n'a jamais travaillé de sa vie.

— Ah, il a gagné au loto, lui ?

— On peut dire ça. Son père avait amassé une énorme fortune. Lui, il l'a dilapidée.

— Dilapidée ?

— Il a tout dépensé. Les courses, les casinos, les belles voitures.

— Et toi, tu as affolé mon grand-père avec un soutien-gorge, c'est ça ?

— Oui, gros bêta. Il est entré dans ma boutique. Le coup de foudre, comme dans les films.

— Mais, la foudre, mamie, ça fait mal. Un jour, aux infos, un monsieur se promenait dans la forêt quand la foudre l'a frappé. Il en est mort !

— Personne n'est mort, mais ton grand-père vit je ne sais où. Sa dernière carte postale vient du Nicaragua. Qu'il y reste !

— Tu es allée avec lui au casino et dans ses belles voitures ?

— Oui et j'ai même vendu ma boutique de lingerie pour lui. On a voyagé au Brésil, en Amazonie, au Mexique, à Miami, partout, la belle vie, Simon. »

Mamie soupire.

« Tu es allée en Australie ? je demande.

— Non, on n'y a pas pensé. Et puis, vingt-quatre heures d'avion, ton grand-père n'aurait jamais supporté. Il fumait deux fois plus que ton père. Des gros cigares qui empestaient et qu'il faisait venir de La Havane. Dans les restaurants chics où il m'emmenait le soir, je dînais face à un nuage de fumée. Et, crois-moi, ce que je respirais, ce n'était pas du Chanel. Il laissait des pourboires énormes derrière lui, de quoi revenir dîner au même endroit quand bon lui semblait. Partout où on allait, hôtels, restaurants, casinos, les serveurs et les serveuses étaient aux petits soins pour nous. Des mouches attirées par le miel qui me dévisageaient en se demandant pourquoi moi, et pas elles. Qui ne rêve pas d'être à la place de la princesse ? Notre vie, c'était comme une fête qui n'en finissait pas. J'en ai connu, des Raoul, crois-moi, et des « madame » longs comme le bras. Mais toutes les fêtes ont une fin. Un jour où je cherchais un chapeau à larges bords pour assister aux courses de Longchamp, j'ai trouvé un sac bourré à craquer de factures impayées. Le loyer de l'appartement rue Philibert-Delorme dans lequel nous vivions depuis deux ans n'avait pas été réglé. Des huissiers représentant des agences de voyage menaçaient une saisie sur l'appartement. Et le fameux ISF réclamait cinq ans d'arriérés.

— C'est quoi, un ISF, mamie ?

— C'est un impôt pour les gens très riches. Un impôt qui douille !

— Alors tu as fait quoi ?

— J'ai remis le sac à sa place. J'ai laissé tomber le chapeau à larges bords et les courses de Long-champ. J'ai récupéré ton père chez la nounou, qui a exigé les six mois de salaire que ton grand-père lui devait. J'ai payé et j'ai pris le large.

— Le large ?

— Je suis partie. Ta grand-mère a toujours eu la tête bien droite sur ses deux épaules. J'avais placé l'argent de la boutique de lingerie fine. Robert m'avait offert de magnifiques bijoux que j'ai emportés avec moi le jour où j'ai quitté la rue Philibert-Delorme. J'ai abandonné le reste. Les robes somptueuses de grands couturiers, les escarpins sur mesure, les manteaux de lapin et de loutre, et les sacs, ah les sacs ! Ça, je les regrette. J'aurais dû en emporter au moins une dizaine.

— Grand-père n'a rien dit ?

— Au début, Violette et Edmond, tu sais, le fromager, nous ont accueillis chez eux. Ton grand-père nous a retrouvés facilement. Il connaissait Violette qui l'avait toujours considéré avec méfiance. Trop beau pour être un homme honnête, comme elle disait. Il voulait que je rentre rue Philibert-Delorme avec son fils, qu'il venait de reconnaître. Comme tu le sais, Simon, ton grand-père et moi ne nous sommes jamais mariés. À la vitesse avec laquelle il claquait l'argent, personne dans sa famille ne tenait à le voir avec une bague au doigt. Qu'importe. J'ai eu ma dose de cadeaux et de voyages de noces. Au diable la belle famille et leur château dans la Loire ! On y dort mal, les pièces sont gelées et on se perd toujours en chemin pour trouver les maudites toilettes. J'ai dit à ton grand-père que je rompais sur-le-champ et que je le laissais rembourser toutes les dettes du grand sac dans l'armoire à chapeaux. Je ne tenais pas à prendre mes petits déjeuners avec les huissiers, et sans table pour poser ma tasse de thé. Il a aussitôt réclamé son fils. C'était surtout le mien. À peine le nôtre. Mais qu'avait-il à lui apprendre en dehors de miser des jetons dans des casinos ou de parier sur des chevaux de course ? Qu'aurait fait Paul d'un Pistolet bleu, d'un Reste au trot ou d'un Gazouillis de printemps ? Ton grand-père n'était pas très courageux. En plus, ce jour-là, il était pressé, un bon tuyau sur une course à Vincennes qu'on venait de lui confier. En partant, il a laissé un gros pourboire, avec deux élastiques, que j'ai mis à la banque le jour même en pensant à ton père. Ce qui est étonnant, c'est que, de ce jour, je ne l'ai plus jamais revu.

— Il n'a pas cherché à te retrouver ?

— Non, jamais. J'ai acheté l'appartement de la rue Lamarck rien qu'avec les bijoux. Le gros pourboire avec les deux élastiques nous a fait vivre quelques années. Paul se souvenait à peine de ce père qui se penchait au-dessus de son berceau et lui offrait des lapins roses et des souris géantes. Quant à moi, je l'ai oublié sans chagrin. Je pouvais dîner seule dans un restaurant sans retenir ma respiration. Pas de gros cigare, pas d'huissier à ma porte quand je rentrais. Ton grand-père a su je ne sais comment que nous habitions ici et, tous les ans, il m'envoie une carte postale d'un pays différent. J'ai lu dans un journal qu'il était complètement ruiné, qu'il avait fait de la prison pour honorer ses dettes. Ce qui ne l'a sûrement pas empêché de jouer aux courses ou au casino pour voyager comme il le fait. Sa carte postale ne vient ni de Houlgate ni d'Évreux. Toujours d'un pays exotique et lointain.

— Papa n'a jamais voulu le revoir ?

— Non, il a vécu ici avec moi et mes copines que tu connais. Entouré de jolies femmes, il n'a pas cherché la présence d'un père. Et puis, je n'ai pas facilité les choses. Je lui ai dit que Robert chercherait surtout à lui emprunter de l'argent qu'il ne lui rendrait jamais. Ce que Robert aurait certainement fait, de toute façon. Surtout, je ne voyais pas mon fils lui apporter des oranges à Fleury-Mérogis, en échange de ses derniers tuyaux percés sur les courses à parier. C'est sûrement pour cela que ton père t'aime autant. Parce qu'il n'a pas connu son père. Tout cet amour qu'il a pour toi, c'est celui que Robert n'a pas su lui donner. Ce n'était pourtant pas bien difficile d'attendre son garçon à la sortie de l'école ou en bas de la rue Lamarck. Je n'aurais pas pu empêcher cela. Robert ne l'a jamais fait. Ou alors il est resté à l'arrière de sa belle voiture conduite par un Raoul. Ou sur le trottoir d'en face, comme si la rue était un fleuve infranchissable. Ce n'est pas qu'il n'aimait pas son fils, mais je crois qu'il n'était pas prêt à assurer son rôle de père. Paul est né au Caire. En Égypte, tu sais, là où trônent le Sphinx et les pyramides. Le jour où ton père est venu au monde, Robert était parti à cheval dans le désert au bord de la mer Rouge. La naissance de Paul faisait de lui un père, et cela lui était insupportable. Ton grand-père était comme un enfant qui casse tous ses jouets. Le contraire d'un enfant sage, comme Paul ou toi. »

Je rentre de l'école, gavé des Haribo que m'a donnés Raoul avant de poser ses mains à dix heures dix sur le volant. J'ai un peu mal au cœur. J'appuie deux fois sur la sonnette grenouille qui fait crôa. Personne. Je sors de ma poche la clef de Lola. Ma chambre me manque. Et aussi mon bol jaune Banania avec un monsieur noir coiffé d'un chapeau rouge qui ne doit plus rigoler sans nous. Tout le temps, papa me manque. Quand je rentre de l'école, Lola est rarement là. Elle se promène avec Fortuné ou avec Rosa et Églantine, ou elle fait les courses sans moi. Personne ne joue aux Mille Bornes ou aux petits chevaux avec moi. J'en profite pour promener tous mes chiens sur la DS avec le petit sac pour faire disparaître la grosse commission. Ni Lola ni Fortuné ne me font réviser mes devoirs. Je m'assois dans le salon où j'ouvre mes livres et mes cahiers.

Je sors de l'école, Raoul n'est pas là. Je le cherche partout, lui et sa grosse Mercedes noire. Je descends jusqu'au feu, on ne sait jamais, il a peut-être eu du mal à trouver une place. Je reviens à l'école, pas de Mercedes mais, en double file de l'autre côté du trottoir, une longue voiture toute noire. Même les vitres le sont. À l'arrière, une d'elles s'abaisse. J'aperçois le visage d'un très vieux monsieur avec une barbe grise. Ses yeux sont cachés derrière des lunettes noires. On dirait qu'il me fixe mais, avec ses lunettes noires, comment savoir s'il ne fixe pas un autre élève que moi ? Il tend le bras. Dans sa main, il tient des tas de billets. Le ciel est de la même couleur que sa voiture. Je pense au parapluie violet dans le sac de Lola. S'il pleut, je vais devoir retourner à l'école et attendre Raoul sous le préau. Il finira bien par arriver. Le vent souffle très fort. Un monsieur court derrière son chapeau, une dame tient sa robe serrée dans ses mains pour qu'elle ne se relève pas sur son ventre. Au-dessus de la rue, une pluie de billets tombe sur les gens qui courent et se baissent aussitôt pour les ramasser. Ils ont l'air très contents. Ils regardent en l'air pour voir de quel nuage tombent tous ces euros. Moi, je cherche la longue voiture noire qui a disparu.

Raoul me secoue l'épaule et me demande si je dors ou quoi. Sa Mercedes noire est garée juste devant l'école. Le monsieur au chapeau passe devant moi. La dame à la robe se tourne vers Raoul et lui sourit : « Bonjour, monsieur, pardonnez-moi. Auriez-vous l'heure, s'il vous plaît ? » Le soleil est très haut dans un ciel sans nuage. Comme un roi sur son trône qui allume son royaume.

Monsieur Propre porte les courses, Lola est de retour rue Lamarck. Elle aimerait savoir si j'ai bien travaillé, m'embrasse sur le front, puis part à la cuisine sans attendre ma réponse. Des fois, les grandes personnes parlent pour ne rien dire. Ou alors les réponses ne les intéressent pas. J'entends Lola et Fortuné rire dans la cuisine. Je me sens tout seul. Je pourrais disparaître dans un trou profond où plus personne ne me retrouverait. Comme papa à Sainte-Anne, ou maman au pays des kangourous. Lily me manque. Soudain, Fortuné se penche au-dessus de moi. On dirait un tronc d'arbre avec deux branches. Il sent le parfum de Lola, une fleur je sais pas laquelle. J'examine ses deux bras pleins de muscles, son crâne lisse que je n'ai pas envie d'embrasser. Mon porte-bonheur à moi, c'est les baisers d'amour et papillons avec papa.

« Tu es en quelle classe, Simon ? me demande Fortuné.

— En CM1, à Gerson.

— Et ça te plaît, mon petit ?

— Oui, surtout la littérature et le sport avec mon copain Jérémy. Les sciences et les maths, j'aime pas trop.

— Moi, tu sais, je n'ai pas eu mon bac.

— Fortuné ! crie mamie de la cuisine. Je t'entends. Ne va pas lui fourrer des idées idiotes dans la tête.

— C'est quoi, tes idées idiotes ? je chuchote au menton au-dessus de moi.

— Je ne sais pas. Lola pense peut-être que je vais faire de toi un forain.

— C'est quoi, un forain ?

— Quelqu'un qui travaille comme moi à la Foire du Trône.

— Ah ! Je suis trop petit pour ça. Faut d'abord que j'apprenne des tas de trucs à l'école. Et que je me concentre un peu sur les sciences et les maths. Sinon, je n'aurai jamais la moyenne.

— Et ça te plairait de travailler avec moi plus tard ?

— Je ne sais pas. J'aimerais être pompier ou policier, ou écrivain comme papa. »

Sinon, j'aimerais aussi être le monsieur qui apporte les boissons sur la plage et qui secoue les transats bleu et blanc quand les gens s'en vont après une dure journée de soleil. Je pourrais marcher pieds nus sur le sable chaud et manger autant de glaces que je veux.

« Lola, c'est un futur génie, ton petit-fils. Je te le dis.

— Bah, je n'aimerais pas trop qu'il soit écrivain comme son papa.

— Et pourquoi ? je crie à mamie toujours cachée dans la cuisine.

— Parce que ça fume trop, un écrivain, mon chéri ! »

Un jour où papa était absent de la maison, je suis entré dans le bureau où je n'ai pas le droit d'aller et j'ai pris une de ses cigarettes à moitié fumée dans le cendrier. J'ai d'abord écrasé le bout entre mes deux doigts, comme fait papa pour faire tomber le goudron. Je l'ai mise dans ma bouche et je l'ai allumée avec le briquet qui brûle les doigts. D'abord, j'ai reçu une cendre dans l'œil et ça m'a fait pleurer comme si j'avais un gros chagrin. Après j'ai toussé si fort que j'ai cru que mes poumons ou mon cœur allaient sortir de ma gorge et s'étaler sur l'ordinateur de papa.

« Ça ne risque pas, mamie. Moi, je serai un écrivain sans cigarettes, sans cendrier et sans briquet. »

Lola est sortie de la cuisine avec son tablier à petits carreaux roses et blancs, les mains sur les hanches et un long pic à brochettes dans sa main droite.

J'aime bien porter son tablier à petits carreaux roses et blancs, même s'il tombe sur mes baskets, parce que j'ai le droit de faire toutes les taches que je veux dessus.

« Termine déjà ton année de CM1, mon chéri. Après on verra. Et toi, Fortuné, viens ici, j'ai besoin de toi pour préparer les brochettes.

— Je peux venir aussi, mamie ? J'ai fini mes devoirs.

— Oui, mon chéri. Deux hommes à la cuisine pour m'aider, le rêve ! »

Finalement, Fortuné a fait la purée et, moi, j'ai préparé les brochettes. Un morceau de poulet pas cuit et qui colle aux doigts, un bout de tomate sans les petits pépins, de l'oignon déjà épluché, sinon ça fait pleurer, un peu de champignon qui a baigné dans le citron pour qu'il ne devienne pas tout noir, du poivron rouge, vert et jaune, et on recommence avec un morceau de poulet pas cuit et qui colle aux doigts, et tous les petits légumes jusqu'à ce qu'on atteigne le bout du bâton.

Je suis presque arrivé à Sainte-Anne. Raoul ne dit rien, il conduit sa Mercedes noire, les mains à dix heures dix. J'ai envie de voir Lily. C'est la seule personne à qui je peux tout dire. Des fois, Jérémy ne pense qu'à s'amuser ou à s'échapper par la fenêtre de sa chambre avec Franklin pour aller boire un Coca au McDo et regarder les gens. Je vois bien quand je lui parle de mon papa que je l'ennuie. Il me coupe toujours la parole pour me parler de la fille en short rose qui vient de passer devant nous. Alors qu'elle est moche, avec toute cette ferraille dans sa bouche. Elle regarde Jérémy, secoue sa tête, et ses couettes disent « non non non ». Et quand ce n'est pas une fille moche en short rose, c'est plusieurs filles moches qui font leurs intéressantes. Elles se racontent des trucs à l'oreille que je n'ai pas envie d'entendre et elles pouffent comme si elles pouvaient plus respirer. Je pense à Lily qui dit *c'est un peu comme un miroir devant lequel personne n'a envie de s'arrêter. Les gens ont tous leurs petites faiblesses, leurs moments de fatigue, de stress, et n'importe qui peut en passer par là.* Peut-être que Jérémy ne veut pas se regarder dans ce miroir-là, que mes histoires l'embêtent parce qu'elles sont moins drôles que les filles, même moches. Et puis, Lola, je vois bien que Fortuné lui tourne autour. Lola, ce n'est pas le genre à chasser les mouches et les moustiques comme maman. Souvent, elle appelle monsieur Propre « gros bêta ». Mais quand elle dit « gros bêta », moi j'entends « je t'aime bien ». Si c'est mon papa qui se repose à Sainte-Anne, c'est aussi le fils de Lola qui rate les grosses bêtises. Alors, Fortuné, c'est un peu une porte ouverte aux belles choses, et elle aurait tort, mamie, de ne pas y entrer. Des fois, Lola et Fortuné se croisent et, dans leurs yeux, c'est plein de mots pas dits et pas besoin d'être dits pour que je comprenne que je suis de trop. Surtout quand Fortuné nous quitte après le dîner et qu'il reste encore un long moment sur le palier avec Lola. Je pourrais fermer la porte, regarder un DVD et jouer à la DS que Lola ne serait pas encore là pour me dire d'aller me laver les dents. Et, chaque fois, elle oublie d'allumer un bâton d'encens dans le cactus ou d'arroser ses plantes vertes. Quand maman appelle et que je suis à l'école, je lui en veux. J'ai fait le calcul avec mes doigts. Elle pourrait téléphoner tôt le matin quand j'avale le pain grillé et les œufs au bacon que me prépare Lola. Et je pourrais l'écouter même la bouche pleine. C'est comme si je tendais mes mains et que je n'arrivais jamais à l'atteindre. Sa main dans la mienne me manque. Depuis qu'elle est partie, des tas de bougies parfumées attendent d'être choisies par son petit nez en trompette. Des tas de miroirs attendent d'attraper son visage. J'aimerais que le monsieur qui est entré dans papa déguerpisse et qu'il me rende les dimanches de grasse matinée. J'aimerais réviser mes devoirs avec papa quand je rentre de l'école. Je n'ai pas besoin d'un arbre qui se penche au-dessus de moi et qui sent le parfum de Lola. Je veux le citron, et pas celui qui empêche aux champignons d'être noirs comme une nuit sans lune et sans étoiles. Je veux du vert dans les yeux de papa, le vert « couleur de feuille », comme disait maman avant. Avant les disputes. Avant que chacun ne disparaisse dans un pays si loin que ma seule façon de les retrouver chacun est de fermer les yeux et de rêver. Je veux marcher pieds nus dans le sable, les yeux ouverts, ma main blottie dans la leur.

Je suis une chaussure qui attend le pied de Carole Ravine. Toutes mes jumelles m'ont assuré que son pied était fait pour moi. Parfois la vendeuse me sort de ma boîte pour une cliente qui a remarqué mon double en vitrine. Je n'ai pas d'yeux pour voir, mais un odorat très puissant qui me dit que la cliente n'est pas celle que j'espère. Je déforme son pied, j'arrive même à la faire trébucher jusqu'à ce que la vendeuse me range à nouveau dans mon lit. Et le jour où Carole Ravine est entrée dans notre magasin, elle m'a choisie sans hésiter. Elle a glissé son pied avec élégance et je l'ai accueilli en connaisseuse. Mes jumelles avaient raison. Ce pied-là est fait pour moi. J'ai senti la présence d'un jeune garçon à ses côtés qui portait des baskets. Je n'aime guère ces jumeaux. Le pied y transpire. Mais, après tout, cela ne me regarde pas. Je tiens pour ma part un pied ferme et élancé, aux ongles soignés. Le talon est plat. Cette femme-là sait marcher.

J'ouvre les yeux. Lily m'attend devant l'entrée. Si Raoul ne fumait pas sa cigarette, le nez au ciel, il pourrait la voir comme je la vois. Elle porte une robe blanche qui la grandit un peu. Elle a abandonné ses baskets pour des petits souliers blancs sans lacets. Ses cheveux ne sont pas attachés et le soleil joue avec, un peu comme si je cherchais à les éclairer avec ma lampe de poche. Lily me tend la main, ne dit rien. Elle me fait signe de me baisser devant la sécurité et nous passons dessous comme des espions qui auraient une mission à accomplir. Voler des dossiers classés secrets. Faire sortir un malade qui ne le serait pas. Un témoin caché, comme dans les films, entraîné depuis des années à vivre parmi les dingues. Si seulement c'était papa. À tous, il nous aurait fait croire qu'il était écrivain. En fait, ce serait un grand espion qui ne fume pas. Et maman n'aurait jamais travaillé chez Danone. Les yaourts, en fait, elle déteste. Elle reçoit ses missions par des textos que lui envoie papa de son portable.

Lily s'installe à la cafétéria et commande des pâtes et un Coca.

« C'est la seule chose que j'aime ! me dit-elle.

— Tu ne manges rien d'autre ?

— Si, du pain, de la purée, des céréales et des crêpes par dizaines.

— Des fruits frais découpés en morceaux ?

— Je déteste !

— Des épinards et des petits pois ?

— Beurk ! »

Le serveur dépose les pâtes de Lily devant elle. Je n'ai pas faim, j'ai pris un Coca. Lily regarde le plat de pâtes. Elle pose ses doigts sur les pâtes.

« Tu fais quoi ? je dis.

— J'ai besoin de toucher ce que je vais manger.

— Pourquoi tu fais ça ?

— Ça me rassure.

— Tu ne ressembles pas du tout aux filles que je connais.

— Tu dis ça parce que tu n'en connais pas beaucoup.

— Oh si ! Jérémy les remarque toutes. Seules ou en grappes.

— Tu n'es pas Jérémy !

— Oui, c'est vrai. En plus, elles ne sont pas terribles.

— Et c'est quoi une fille terrible pour toi ?

— Ben, c'est toi ! »

Et je deviens rouge comme le ketchup que Lily ne mettra pas dans ses pâtes. Elle déteste le mélange. Elle me dit qu'elle connaît toutes les portes de Sainte-Anne. Elle les a presque toutes ouvertes, pour voir où elles menaient. Elle n'est pas allée dans certains bâtiments à cause des vrais dingues qui y habitent. Ceux qui se promènent en pyjama bleu.

« Papa va bientôt partir à Montpellier, je dis.

— Oui, j'ai appris ça. »

L'assiette de pâtes est vide. Lily en réclame une deuxième.

« Comment fais-tu pour toujours tout savoir ?

— J'ai des oreilles, Simon. Je les laisse traîner. Surtout quand j'ouvre les portes pour voir ce qu'il y a derrière. Personne ne fait jamais attention à moi. Je sais disparaître.

— Comment tu fais pour disparaître ?

— Ben, derrière une porte ou un chariot ! Tu t'attendais à quoi, de la magie ?

— Oui, un peu. »

Depuis que je connais Lily, je ne ressens que des belles choses à ses côtés. Je n'ai pas les mots de papa pour dire ça. C'est comme si j'avais toujours connu Lily. Même avant d'inventer ce prénom pour la sœur que je n'ai pas eue. C'est étrange, un peu comme si rien n'existait autour de nous, que les grandes personnes étaient toutes en carton comme dans les grands magasins. Face pour les regarder, pile pour les faire tenir debout. Comme si toutes les aiguilles de toutes les montres, pendules et réveils s'arrêtaient net. Comme si je jouais à fermer les yeux et à rêver. Mais le Coca que je bois me pique et me chatouille les narines. Les petites bulles marron éclatent dans ma bouche et glissent sur ma langue comme un toboggan qui les fait descendre dans ma gorge. Je pense au mot « vivant ». Avec Lily, je suis vivant.

« Ne t'inquiète pas, me dit Lily. On se verra aussi à Montpellier.

— Chouette. J'avais un peu peur que tu ne viennes pas. Mamie m'a dit qu'on ira dormir à l'hôtel et qu'on profitera un peu de la plage. Fortuné viendra sûrement avec nous. Ça m'ennuie un peu. J'aurais préféré être seul avec ma grand-mère.

126

— Ta grand-mère est encore jeune, Simon. Elle peut refaire sa vie.

— Des fois, quand elle pense à papa, elle est vieille.

— Elle a besoin d'une épaule pour se sentir moins vieille.

— Tu as raison. Elle n'est pas en carton.

— En carton ? Quelle drôle d'idée ! Et puis, Simon, à deux on supporte mieux la souffrance qui nous entoure. Toute seule, ta grand-mère se sentirait encore plus coupable de ce qui arrive à son fils.

— Mais je suis là, moi !

— Je suis certaine que ta grand-mère t'aime comme si tu étais son propre fils. En plus, un fils en bonne santé. Mais Fortuné la rend plus légère. En sa présence, tous les ennuis de ta grand-mère s'envolent comme un cerf-volant sur une plage.

— Comment tu sais tout ça, Lily ?

— Je sais. »

Et Lily m'offre son plus joli sourire.

Moi, je sais qu'elle viendra à Montpellier. Peut-être acceptera-t-elle d'aller à la plage avec Lola, Fortuné et moi ? Je n'ose pas lui demander.

Peut-être parce que je connais déjà sa réponse.

« Tu ne bois que du Coca ou du lait fraise ? je demande à Lily qui vient de commander un deuxième Coca.

— Oh non, je bois aussi du Fanta à l'orange et, des fois, un diabolo menthe si le serveur veut bien mélanger la menthe et l'eau derrière son comptoir.

— Pourquoi ?

— Parce que je déteste l'eau. Je trouve ça insipide et sans aucun intérêt. »

Le rose du lait à la fraise. Le marron du Coca. L'orange du Fanta. Le vert du diabolo. On dirait les couleurs des sorcières.

« Tu dois prendre des bains ou des douches quand même, je dis.

— Je déteste prendre un bain. Le contact de mon derrière avec le fond de la baignoire est si désagréable que je ne peux pas penser à autre chose. Alors je suis obligée de faire porter tout le poids de mon corps sur un côté, comme ça, je suis moins en contact avec la baignoire.

— Tu vas à la piscine ou à la mer ?

— Non, je déteste les rebords des piscines, et les grandes personnes qui, en sortant de l'eau, laissent derrière elles des traces sombres et menaçantes. Je les évite car j'ai peur de disparaître dedans à jamais. La mer, j'y suis allée une fois et je n'aime pas trop. Je me méfie de ce qu'il y a tout au bout, derrière la grande ligne d'eau sombre. Peut-être une gigantesque cascade qui avale tous les curieux qui s'y aventurent. Et puis, l'eau, c'est un peu comme les adultes. C'est trop changeant. Les petites vagues qui te lèchent les pieds au bord de l'eau sont autant de petites mains qui cherchent à t'emmener là où c'est profond.

— Pourtant, tu m'as dit que l'eau était un élément très important pour la guérison de la dépression de papa.

— Bien sûr, pour ton papa, c'est important. Moi, ça n'a rien à voir. Je ne suis pas tout à fait une petite fille comme les autres. Tu me l'as dit toi-même. Je sais des choses qui font du bien et je veux que ton papa en profite. Tous les papas malades. Tous les malades. Je suis là pour eux.

— J'avais remarqué. Moi, j'ai peur des monstres qui se cachent sous les lits ou dans les placards ou dans le noir ou dans les forêts.

— Ils ne sont pas méchants, Simon. Ils ont encore plus peur que toi.

— Et de quoi ont-ils peur ?

— De toi, Simon. C'est pour cela qu'ils ne se montrent jamais.

— Tu crois ?

— J'en suis sûre. Quand tu seras plus grand, tu n'y penseras même plus. Et tes monstres quitteront tes placards et le dessous de ton lit et s'en iront dans une autre maison où un petit garçon demandera à ses parents de laisser la lumière allumée.

— Comment tu sais que je laisse la lumière allumée ? je dis. Je ne t'en ai jamais parlé.

— Je devine, Simon. C'est ce que font tous les enfants qui ont peur des monstres.

— Trop forte, je dis. Tu ne connais pas les numéros du loto de samedi ? Je pourrais les donner à mamie et on serait très riches après.

— Non, Simon. Ça ne m'intéresse pas. Moi, je veux faire du bien aux malades. Je veux les aider à grandir, à aller mieux. Je sais des tas de choses que je leur murmure à l'oreille quand ils dorment. Parfois je me faufile à l'infirmerie et je change les étiquettes sur les petites bouteilles des malades. Je sais ce qui est bon pour eux. Et quand ils s'en vont de leur chambre pour ne plus y revenir, je les regarde partir en pensant que j'ai fait quelque chose de bien. Après, c'est à peine s'ils se souviennent des mots murmurés à leurs oreilles. Ils se disent que c'était juste un rêve dont il ne faut parler à personne. »

Je n'ai jamais demandé à Lily où elle dormait. Je ne sais pas ce qu'elle prend au petit déjeuner. Je ne sais pas s'il lui arrive de quitter les hôpitaux pour aller à la Foire du Trône. Je me demande si son papa et sa maman savent tout le bien qu'elle peut faire aux malades. Je me demande si son papa et sa maman existent. Si, la nuit, elle se glisse dans la chambre de papa pour lui chuchoter des tas de choses pour l'aider à aller mieux. Je ne sais pas où elle range ses vêtements. Où se trouve sa salle de bain. J'aimerais bien voir la brosse avec laquelle elle coiffe ses cheveux, lui poser toutes ces questions et d'autres encore. Mais je sais que Lily me fixerait sans répondre. Elle me donnerait son plus joli sourire. Et, si un jour je parle de Lily à papa, je crois qu'il sera content de savoir que j'ai cessé d'être curieux pour mieux profiter de ces moments qui me font du bien.

Je viens de louper l'appel de maman qui m'embrasse et pense à moi. Lola me dit que ça s'arrange avec sa collègue qui a donné sa démission, mais qu'elle ne sait pas du tout quand elle va revenir.

« Mais elle va revenir ? je demande à Lola un peu inquiet.

— Bien sûr, mon chéri. Tu n'es pas bien chez ta grand-mère ? »

Ma maison me manque. Je demande à Raoul d'attendre avec sa Mercedes noire devant, et je descends. Je fais le code à quatre chiffres. Je monte au deuxième étage et je colle mon oreille à la porte. Mais je n'entends rien. Même les fenêtres ont été fermées à cause de la pluie qui pourrait entrer à l'intérieur.

Je suis une goutte de pluie qui entre par la fenêtre ouverte. Je me suis détachée de mes frères et sœurs, trop nombreux. J'avais envie de cette fenêtre et pas d'une autre car dans cet appartement vivent un écrivain, une mangeuse de yaourt et un garçon de neuf ans qui m'amusent beaucoup. Je suis déjà venue, mais les fenêtres fermées, je m'étais contentée de glisser sur l'une d'entre elles.

Je tombe sur le parquet. Pas de chien, pas de chat. Je ne risque aucun coup de langue qui me ferait disparaître. D'habitude, je suis toute ronde, mais en tombant sur le parquet je me suis un peu étalée. Je peux regarder tout autour de moi sans tourner la tête que je n'ai pas. Personne ne vit là. L'écrivain est à Montpellier où je n'irai jamais. Le soleil me sécherait aussitôt. La mangeuse de yaourts vit en Australie. Trop loin pour moi. J'ai des tas de cousins et de cousines là-bas. Le garçon de neuf ans habite chez sa grand-mère. Il attend que son papa et sa maman reviennent dans cet appartement pour lui donner un peu de vie. Cette vie que j'aimais voir le temps d'une glissade. Tout est immobile. Les cadres au mur. Les fauteuils blancs. Les bibliothèques de livres et de CD. Les grandes lampes marron. La table basse en bois sombre devant le canapé blanc à trois places. La bougie sans odeur qui attend d'être allumée pour laisser s'échapper au-dessus d'elle un souffle parfumé. Je ne suis qu'une goutte d'eau. Je ne peux rien animer dans cette pièce. Seuls le rideau et la fenêtre par laquelle je suis entrée s'agitent un peu. Le rideau s'accroche à la fenêtre et en caresse les bords. La fenêtre est un peu agacée. D'habitude, le rideau se tient tranquille, droit devant elle. La fenêtre hésite. Elle ne sait pas si elle doit entrer davantage dans l'appartement ou rester à sa place en attendant qu'une main tourne sa poignée. J'appelle mes frères et sœurs. Je ne peux pas rester ainsi, étalée sur le parquet, sinon je vais sécher sur place ou continuer à m'étendre. Puis je vais disparaître entre deux planches de parquet. Je sens une brève présence qui m'aspire en arrière et je retourne parmi les miens. Je ne peux jamais rester trop longtemps dans un endroit qui me plaît. C'est dommage.

Lola a gardé les clefs de l'avenue Paul-Doumer. On y est retourné pour remplir ma valise. Je ne pars pas pour l'Australie, seulement dans le dix-huitième arrondissement. Avec des tee-shirts, des pantalons et des chemises bien propres. J'ai passé mon doigt au-dessus d'un cadre comme papa fait des fois. Mon doigt était tout sale. Je me suis dit qu'il était temps que papa rentre à la maison avant que la poussière ne recouvre tout l'appartement. Bizarrement, j'avais un peu l'impression d'être un voleur. D'entrer dans un endroit qui n'était pas chez moi. *Plus* chez moi. Cela fait des semaines que j'habite chez mamie. Peut-être même des années, je ne suis pas doué en mathématiques. J'ai respiré un grand coup avant de jeter un œil sous le lit de ma chambre. Lily avait raison. Pas un monstre. Pas plus dans les placards, que j'ai ouverts sans les refermer. Tous ceux de la maison. Je voulais être sûr de ne pas en oublier un seul. J'ai même regardé sous le lit de papa. Le lit de papa et maman quand elle est là. Puis je suis allé dans la chambre d'amis où aucun ami ne dort jamais. Pas de monstre. Peut-être qu'ils ont fini par s'ennuyer dans notre maison vide. À quoi peut servir un monstre s'il n'y a personne pour en avoir peur ? Ils ont dû s'installer dans un autre appartement où les parents se disputent, où les frères et sœurs se tirent par les cheveux, fuyant à toute allure l'aspirateur qui déboule dans un boucan du tonnerre. En tout cas, ce n'est pas rue Lamarck que je vais vérifier sous le lit ou dans les placards. Et pas question d'éteindre la lampe à côté du lit de mamie. Sa lumière tient à l'écart tous les monstres qui n'aiment que le noir sombre. Comme la nuit à qui l'aspirateur du ciel a tout pris. Dans un sac plein de poussières, les étoiles ont fini par s'éteindre, les unes après les autres, et la lune n'a pas eu assez de place pour briller. Elle s'est faite plus mince qu'un croissant au beurre.

« Dis donc, Simon, dit Lola. Tu seras gentil de me refermer tous ces placards. Tu cherchais quoi ?

— Rien, mamie. Je voulais juste voir si rien n'avait changé de place. »

Le train roule dans la campagne. Pas le temps de détailler les habits des gens à la fenêtre de leur maison, même en se retournant. Et si les maisons que le train dépasse étaient en carton ? Un côté face pour les voir, un côté pile pour les faire tenir debout ? Lola et Fortuné sont assis en face de moi. Lola s'est endormie, le visage couché sur l'épaule de Fortuné. Monsieur Propre somnole contre le fauteuil, la tête bien droite et la bouche grande ouverte. C'est parce qu'il est amoureux de Lola que sa bouche est grande ouverte ? Je pourrais laisser tomber une fraise Tagada à l'intérieur pour voir si ça le réveille. Mais je ne le fais pas, ce n'est pas gentil. Je regarde la boucle d'oreille de monsieur Propre. Je cherche sa sœur jumelle sur l'autre oreille. Pourquoi en porte-t-il une seule ? Elle doit s'ennuyer, cette boucle d'oreille. Au-dessus de nos têtes, le géant a hissé deux petites valises. Une jaune et une verte. La valise jaune contient mes vêtements et ceux de Lola mélangés. La verte, les vêtements de Fortuné. Je me dis que mes tee-shirts vont sentir le parfum de Lola. Celui d'une fleur, je sais pas laquelle. À la gare de Lyon, avant de monter dans le train, j'ai bu un deuxième chocolat chaud et mangé un petit pain. Mamie en a profité pour acheter des sandwichs « bien meilleurs que ceux du wagon-restaurant ». Fortuné m'a offert un sachet avec plein de bonbons à l'intérieur. Des réglisses, des crocodiles au ventre tout blanc, des tétines de couleurs, des petits ours jaunes et verts, des guimauves et des petites bouteilles de Coca pleines de sucre. Je les mâchouille les uns après les autres depuis qu'on est assis dans le train et je me suis fait le pari que j'aurai tout fini avant d'arriver à Montpellier. Là-bas, on ne sera pas loin de la clinique où habite papa, dans un village qui s'appelle Carnon, à l'hôtel Neptune. Fortuné m'a raconté que Neptune, c'est le dieu des mers qui soulève avec son trident les navires pris dans les rochers ou dans les sables, pour les remettre sur une eau calme. J'ai demandé « c'est quoi un trident ? » et Fortuné a répondu que c'était comme une fourche. Il paraît qu'il mangeait aussi ses enfants. J'aime moins. Je vais essayer de ne pas trop y penser avant de me coucher ce soir, sinon à moi les mauvais rêves. Lola m'a dit qu'on sera dans la même chambre avec un lit chacun. Fortuné dormira dans la chambre voisine, tout seul dans un grand lit. Elle a dit ça comme si elle regrettait de ne pas être l'oreiller sur lequel Fortuné s'endormira, seul dans son grand lit. J'ai mal au cœur. J'ai mangé trop de bonbons. Je ne gagnerai pas mon pari. À côté de moi, une vieille dame que je ne connais pas s'est assoupie, elle aussi. Elle a un peu de poils au menton, comme les framboises, et une moustache sous le nez qui ressemble à celle de papa quand il ne se rase pas le week-end.

La plage est minuscule. J'en fais le tour en comptant jusqu'à vingt. Au bord se dresse un château de sable avec deux tours, des fenêtres minuscules et une large porte. Les vagues lèchent l'entrée du château, l'une des deux tours s'effondre. Tout autour de moi, la mer, sans maison au loin, sans bateau à voiles blanches, sans nageur à bonnet blanc. Je m'assois sur le transat, les pieds dans le sable. Je les retire aussitôt, car le sable est brûlant. La deuxième tour du château de sable vient de s'effondrer. Je me demande qui a construit ce château de sable. Si c'est papa, pourquoi m'a-t-il laissé sur cette île si petite ? Il est pourtant doué, papa, pour faire les châteaux de sable. Sur la plage d'Alcudia en Espagne, j'observe souvent ses mains, d'où s'échappe un sable mouillé avec lequel il fait apparaître les arbres du jardin face au château. Le jardin et les arbres ont été engloutis au fond de l'eau avec les deux tours. Les petites vagues s'en prennent à mon transat. Le vent emporte le parasol blanc qui se retourne sur la mer comme un gros coquillage un peu ivre. Je marche autour de la plage en comptant jusqu'à dix. Je n'ai pas peur. Lily veille sur moi. L'eau emmène mon transat, et moi avec, toujours allongé, les bras croisés sous ma tête. Je regarde le bleu du ciel. Je pourrais m'y noyer. L'eau m'emmène de l'autre côté de la mer, là où la ligne sombre est sûrement une cascade qui avale tous les curieux qui s'y aventurent. Le parasol blanc a disparu. Est-ce Neptune qui l'a pris pour s'abriter du soleil quand il sort la tête hors de l'eau ? Je n'ai pas peur du dieu des mers, je suis trop grand pour qu'il me mange. J'entends des murmures à

l'oreille. C'est peut-être Lily. C'est peut-être le vent.
De l'autre côté de la mer, derrière la ligne sombre,
il n'y a pas de cascade qui avale tous les curieux
qui s'y aventurent. Il y a la main de maman qui
prend la mienne. J'ai maintenant des baskets aux
pieds, un short à la place du maillot de bain et
un tee-shirt blanc par-dessus. Et, sur mon nez,
des lunettes noires à cause du soleil qui fait sécher
l'herbe où nous marchons maman et moi. Maman
est revenue du pays des kangourous. Ou peut-être
je l'ai rejointe en Australie. Maman porte un pan-
talon rouge, des chaussures plates et blanches, une
chemise trop grande pour elle qui doit être à papa
ainsi qu'un grand chapeau entouré d'un ruban
beige. Sur son nez en trompette, des lunettes de
soleil où le soleil se plaît. Maman marche vite.
Trop vite pour moi. Je lâche sa main juste pour
voir si elle va s'en rendre compte. Elle se retourne,
ôte ses lunettes et me dit d'un air triste : « Pour-
quoi m'as-tu lâché la main ? »

À la gare de Montpellier, Fortuné a loué une
Fiat 500 grise avec un toit ouvrant. C'est comme
une décapotable, en plus petit, et les cheveux se
tiennent tranquilles. Surtout ceux de Fortuné qui
n'en a pas. Là, c'est sûr, rien ne s'envole. On peut
voir un bout de ciel bleu et sentir la caresse d'un
rayon de soleil sur son genou. Lola a déplié une
carte sur les siens. Dommage. Elle donne des indications à Fortuné qui conduit, ses deux mains sur
le volant. Ses pattes et ses doigts sont immenses.
Je pourrais cacher les miennes dans l'une d'entre
elles. Je me demande ce que je fais là, dans une
Fiat 500 qui n'est pas conduite par papa. Si tout
cela n'était pas arrivé, je devrais être avenue Paul-
Doumer en train de réviser les mathématiques avec

papa. Maman passerait ses coups de téléphone à ses copines du salon, toutes portes closes. J'entendrais ses éclats de rire qui me feraient comprendre qu'elle n'est plus au pays des kangourous. Fortuné est toujours très gentil avec moi. Je l'aime bien. C'est un géant qui me soulève comme si je pesais le poids d'un caillou de jardin. Des fois, il me fait faire l'avion. Il m'attrape un pied et une main et, tout en tournant sur lui-même, il m'envoie dans les airs. J'aime bien jouer à l'avion avec Fortuné. Mais les dimanches avec papa me manquent. Depuis ce jour où les yeux de papa sont devenus gris, c'est Raoul qui me conduit à l'école en m'appelant monsieur, ou bien Fortuné, sur cette route, qui vient de brûler un feu. Pas de coups de sifflet, pas de policiers à moto, pas de barrage. Je suis le seul à l'avoir vu passer au rouge. Fortuné et Lola se racontent des tas de trucs que je n'écoute pas.

L'hôtel Neptune est sur le port. Nos chambres donnent sur le garage des bateaux. On dirait que les bateaux sont punis. Qu'ils n'ont pas le droit de s'en aller sur la mer. Ils penchent à droite, ils penchent à gauche. Un peu comme moi quand je suis en colère et que je tape du pied gauche et du pied droit. Je ne suis pas souvent en colère. La dernière fois, c'était à cause de maman qui n'avait pas voulu me prendre la main dans la rue. Elle avait peut-être oublié notre secret. Alors j'ai tapé du pied gauche et du pied droit en serrant mes poings et j'ai crié le plus fort possible. Toute la rue s'est retournée, même les arbres. Un monsieur en cravate a fixé maman comme si elle venait de me battre ou pire. Maman un peu embêtée m'a demandé ce que j'avais. J'ai juste tendu ma main et je lui ai souri. Elle a ri en me pinçant la joue comme si elle venait de se rappeler notre secret. Et elle a pris ma main.

Si je me penche sous la fenêtre de ma chambre, je peux tomber dans la piscine. Pourquoi toutes les piscines sont bleues alors que l'eau est transparente ? Comme la mer, même si c'est plus compliqué parce qu'il y a plusieurs bleus dans la mer. Des fois, elle est verte et je ne comprends plus rien.

Lola m'observe tremper mon croissant dans le chocolat chaud.

« Ça va, mon chéri, tu es heureux d'être avec mamie et Fortuné ? »

Je termine le morceau de croissant que j'ai dans la bouche. Maman m'a toujours dit qu'on ne doit pas parler la bouche pleine, même si c'est grave. Je fixe ma tasse blanche identique à celle de papa, pleine de café noir. Je regarde Fortuné qui me regarde.

« Oui, mamie. On va quand à l'hôpital de papa ? »

Fortuné boit son café, le petit doigt en l'air. Papa fait ça au bord de la mer en Espagne. Il mouille son doigt avec sa bouche et il le lève haut dans le ciel et il dit que le vent vient de la mer et qu'il fera beau toute la journée. Le vent vient toujours de la mer en Espagne et le soleil est allumé tout le jour. Pas la peine de sucer son doigt pour ça.

« J'ai une surprise pour toi, Simon, dit mamie, si contente que je me demande si Fortuné ne lui a pas offert une maison au bord de la mer. Dans moins d'une heure, ton papa sera là, à l'hôtel, et nous irons tous passer la journée à la plage. »

Mon cœur bat plus fort que sur le trampoline.

« Papa n'est plus fatigué ? je dis. Il va revenir à la maison ? »

Je pense très fort à Lily qui a su trouver les mots, la nuit, dans l'oreille de mon papa.

« Non, dit mamie, pas tout de suite. Il va un peu mieux et son nouveau traitement a l'air de lui convenir. Le docteur Chevrier pense que ces après-midi en dehors de la clinique peuvent lui faire le plus grand bien. Il lui a donné une permission jusqu'au dîner. Fortuné le raccompagnera. Avec toi, si tu en as envie. »

Lily a dû échanger les médicaments, cachée derrière la porte ou un chariot, et les blouses blanches n'ont rien vu. Je suis content de voir papa. Je suis triste aussi car je ne jouerai pas avec Lily sur la plage. Trop de grandes personnes pour Lily qui déteste la mer.

Je regarde ma montre en plastique orange que m'a offerte mamie chez Fanny, la marchande de tabac. Encore une heure avant que papa n'arrive. Ça fait soixante minutes. Ça fait trois mille six cents secondes. Ça fait beaucoup. J'aimerais que la petite et la grande aiguille se dépêchent un peu, comme si un monstre leur mordait la pointe. Mais je n'ai pas la formule magique. J'imagine mon papa allongé sur son transat, comme en Espagne, où il est si heureux. Avant de se baigner, il secoue toujours sa serviette pour faire tomber le sable. Sur la petite table à côté de lui, son paquet de Marlboro rouges et un briquet, jamais le même. Papa les perd tout le temps. Et la crème solaire pour lui éviter d'être comme un homard. Parfois, il se baigne avec moi et je peux grimper sur ses épaules. Aussitôt il plonge, moi aussi, et je crie en buvant de l'eau de mer qui me fait tousser. Quand il se baigne seul, il nage jusqu'à la grosse bouée jaune. Alors Maman met sa main sur son front, l'air inquiet. Elle le regarde s'éloigner vers la bouée comme si papa comptait la dépasser et s'en aller loin de nous pour ne plus revenir. Moi, je regarde maman qui regarde papa. Elle lui fait un signe de la main, tout comme lui. Papa n'ira pas au-delà de la bouée jaune. Il fait demi-tour et revient vers nous. Lunettes noires et foulard crème sur les cheveux, maman s'enfonce à nouveau dans son transat et reprend le livre qu'elle lisait avant que papa ne se baigne. C'est jamais un livre que papa a écrit. Des fois, elle me propose une glace ou un Coca. Puis elle se crème en caressant ses bras et ses jambes. Elle le fait si doucement que j'aimerais être la crème qu'elle étale avec autant d'amour. Papa revient sur son transat et pose ses pieds en dernier, après les avoir tapés l'un contre l'autre. Il a plein de poils sur les jambes et pas un seul sur le ventre. L'eau de mer a coiffé ses cheveux en arrière. Quand il lève ses sourcils à cause du soleil, tout plein de rides se creusent sur le front. Les rides, dit mamie, c'est quand on vieillit, à cause des soucis. Je fixe maman et je me dis que c'est à cause d'elle que papa a des soucis. Sinon le front de papa serait comme une pêche bien dure.

Papa est venu en bus. Mamie dit que les gens qui prennent le bus ont l'éternité devant eux. Je ne sais pas si papa est immortel mais, en tout cas, il mange bien à la clinique. Il a pris du ventre et des joues. Dans ses yeux toujours gris, il y a une petite étoile verte, couleur de feuille. Je n'ose pas la fixer par peur de la faire disparaître. Je suis dans ses bras, mes jambes autour de son dos. Je pose ma tête sur son épaule. Je lui fais un bisou dans le cou.

« Papa », je dis, et c'est tout.

Tout tient dans ces quatre lettres. Tout ce qui est important pour moi. En dehors de Cop the Recruit et des crocodiles mous que j'avale les uns derrière les autres.

« Donne-moi ta main, dit papa. Elle m'a manqué. »

Je lui tends ma main, il me fait un baiser d'amour. Je me hisse un peu et je dépose un baiser papillon sur chacune de ses paupières. Papa a fermé les yeux. Je suis du regard les deux papillons qui s'envolent pour mieux s'évanouir dans le ciel.

J'ai dû descendre de ses bras, pour que mamie puisse s'y jeter. Elle a contemplé son fils comme si elle le voyait pour la première fois. Elle lui a caressé le front pour effacer ses rides.

« Tu as bonne mine », dit mamie.

Moi, je ne trouve pas qu'il a bonne mine, papa. À part la petite étoile verte dans ses yeux, il a toujours l'air un peu perdu, comme si celui qui est entré en lui s'amusait à effacer son sens de l'orientation. Mamie lui a dit ça pour lui faire croire qu'il avait bonne mine, et papa l'a cru. Il n'a pas demandé un miroir pour vérifier si c'était vrai. Fortuné s'avance vers papa et lui serre la main si fort que papa fait une grimace. Je le vois retirer sa main doucement et la secouer dans son dos pour s'assurer qu'il ne manque pas un doigt.

Sur la plage du Lézard vert, Fortuné a loué quatre transats verts et un parasol pour mamie qui n'aime que l'ombre à cause de sa peau rousse. Papa est allé se changer. Il est revenu dans un maillot de bain avec des dauphins dessus. Son ventre ressemble à une bouée pour flotter dans l'eau. Il est aussi blanc qu'une page sans mots dessus. Je n'ose pas lui demander s'il écrit dans sa clinique. Je me dis que non, à cause de l'ordinateur resté avenue Paul-Doumer. Tandis que mamie remplissait ma valise, je suis entré dans son bureau. Personne ne pouvait m'en empêcher. Tous ses livres étaient fermés. L'écran de son ordinateur tout noir sans la moindre petite lumière qui clignote. Le cendrier lavé par Carlotta était resté sur l'égouttoir dans la cuisine. J'ai refermé la porte derrière moi, le cœur un peu triste. Sur la plage du Lézard vert, mamie porte un maillot de bain orange avec des fleurs violettes qui la mange depuis le haut des cuisses jusqu'à ses gros lolos. Le dos roux est tacheté comme celui d'un léopard. Le géant est en slip jaune et mamie le dévore des yeux comme si c'était une grenouille en chocolat. Le ciel au-dessus de nous est très bleu. Pas un seul nuage là-haut, sac à pluie qui gâcherait notre journée de plage. Le transat, c'est un lit pour que les grandes personnes puissent dormir en plein jour. Je ne comprends pas trop. Quand on dort dans la journée, comment peut-on encore dormir la nuit ? Et puis on passe à côté de plein de moments sympas comme le marchand de glaces ou de beignets. Moi, je m'ennuie vite sur un transat. Je préfère les fesses qui grattent à cause du sable qui entre dans le maillot, et le bord de l'eau où je peux faire des châteaux de sable. Ou creuser pour faire un trou. J'adore faire des trous au bord de la mer. Après, bien sûr, je les rebouche pour que les gens ne trébuchent pas dedans. Si je creuse très profond, j'arriverai peut-être jusqu'au pays des kangourous. Je ne sais pas si maman serait contente de me voir sortir d'un trou avec ma pelle, et je n'aimerais pas qu'elle me chasse avec sa main. Alors, j'arrête de creuser et je remplis mes trous avec la montagne de sable avant d'aller dans l'eau.

Papa me rejoint. Il dit « ouch, l'eau est froide à Montpellier ». Il me prend la main. Papa a de l'eau jusqu'aux genoux, moi jusqu'à la taille. Des petites vagues fraîches nous remontent le long du corps. J'ai l'impression d'être caressé par des glaçons. Soudain, papa me lâche la main et se jette à l'eau. Puis en ressort très vite, les cheveux coiffés en arrière, et il me tend ses bras. Je m'avance et me laisse tomber dedans. Tant pis pour les glaçons et la peau chair de poule, comme dit maman. Je me demande pourquoi elle dit ça. Je n'ai jamais vu une poule se baigner. J'entends le rire de papa qui me fait du bien. J'aimerais rester dans cette grande baignoire, agrippé à son cou, mes jambes cognant les siennes. Papa nage en arrière. Je m'agrippe toujours car je n'aime pas aller là où je n'ai pas pied. Je n'y vais qu'avec papa. Maman, elle, ne m'emmène jamais nager très loin. Ni tout près d'ailleurs. Elle me laisse faire des trous au bord de l'eau ou les reboucher et elle va se baigner toute seule. Elle m'envoie un sourire qui chaque fois se noie avant d'arriver jusqu'à moi.

« Allez Simon, on rentre, me dit papa. Sinon, mamie va s'inquiéter. »

Lola nous observe, sa main sur son front, un peu comme maman quand papa nage jusqu'à la grosse bouée jaune. Mais, ici, il n'y a pas de grosse bouée jaune. Juste une bouée verte et le petit ventre de papa. On sort de l'eau, avec les gouttes de mer qui dégoulinent le long de nos corps couverts de crème solaire. Sur le sable, je regarde les grosses taches sombres qu'ont laissées nos pas derrière nous et je pense à Lily. Elle doit s'imaginer qu'en tombant dans ces taches sombres elle va se retrouver à Sainte-Anne, au pavillon des malades en pyjama bleu.

Il n'y a pas un grain de sable sur la serviette de papa. Il regarde le soleil en clignant des yeux et change son transat de place. Puis il allume une

Marlboro rouge avec un nouveau briquet que je ne connais pas et s'allonge. La fumée de sa cigarette s'en va vers le ciel, au-dessus de lui, et je la suis des yeux jusqu'à ce qu'elle disparaisse complètement. Je me demande si les nuages qui avalent toutes les fumées des cigarettes ne pleurent pas à cause de ça. Ça doit leur piquer les yeux qu'on ne peut pas voir de la terre.

« Tout va bien, Paul ? » murmure mamie qui a rapproché son transat de celui de papa.

La réponse de papa doit être importante pour mamie car, à côté de papa, elle se retrouve en plein soleil.

« Oui, maman. Ça va mieux, en tout cas. Je vais autant que je peux à la grande piscine olympique de Montpellier. J'essaye de nager un kilomètre à chaque fois. L'eau me fait du bien. »

Quand il ira mieux et qu'il pourra sortir, propose-lui d'aller nager. Cela l'aidera à redécouvrir qu'il y a autour de lui de belles choses. L'eau est un élément important pour la guérison de la dépression. Lily a dû le lui souffler à l'oreille.

« L'eau est un élément important pour la guérison de la dépression », je dis tout haut.

Lola, Fortuné et papa me dévisagent comme si j'avais sorti tous les numéros du loto gagnant.

« D'où tiens-tu cela, mon Simon ? me questionne papa, tout fier de moi comme si j'avais eu vingt sur vingt dans toutes les matières sur mon bulletin scolaire.

— J'ai pris mes renseignements », je réponds l'air un peu mystérieux.

J'ai envie de leur parler de Lily, surtout à papa. J'aimerais lui confier qu'elle vient souvent le voir dans sa chambre quand il dort. Qu'elle a échangé ses médicaments contre ceux qui vont lui permettre de revenir avenue Paul-Doumer. Et, surtout, qu'elle veille encore plus sur lui depuis qu'il a fait sa grosse bêtise dont Lola ne parle plus, même avec les sorcières au téléphone. Quand une grande personne décide de ne plus parler d'un souci, elle l'enterre si profond que personne n'ose proposer sa pelle. À côté, mes trous au bord de l'eau ne sont pas plus profonds qu'un verre à pied. Mais je ne dirai rien sur Lily. Pas encore.

Papa est assis au bord de l'eau, à mes côtés. Je lui demande de construire un château de sable.

« Pas aujourd'hui », répond papa avec un sourire triste.

Je me dis qu'il va retourner dans sa clinique bientôt et que ce n'est pas tout à fait comme une journée de vacances pour lui. Que tous les gens qui nous entourent sur cette plage, et qui ne connaissent pas mon papa, ne peuvent s'imaginer en le voyant qu'il s'en ira ce soir chez les dingues. C'est juste un papa et son fils au bord de la mer, avec sa mère et un copain. Ce soir, ils dîneront tous les quatre dans un restaurant du port de Carnon. Voilà ce que doivent penser tous ceux qui nous regardent aujourd'hui.

« Tu rentres bientôt, papa ? je demande.

— Tu veux dire à la clinique ?

— Non, à la maison.

— D'ici un mois, je pense. »

Un mois. Quatre semaines. Cent vingt jours. Ça fait long.

« Tu es bien chez Lola ? me demande papa.

— Oui. Son frigidaire n'est pas rangé comme le tien », je réponds.

Papa sourit.

« Si tu veux, demain, tu peux m'accompagner à la piscine.

— Oui, je veux bien. Je dois en parler à mamie ?

— Non, je l'ai déjà fait. On se retrouvera là-bas dans l'après-midi. Fortuné te conduira, puis te ramènera.

— Et toi, tu vas comment à la piscine ?

— J'ai un bus tout près de la clinique qui me dépose place de la Comédie, à Montpellier. Après je traverse un centre commercial, et j'y suis. Et avec Fortuné, ça se passe bien aussi ? Il a l'air sympathique. Lola m'a dit que vous étiez allés ensemble à la Foire du Trône.

— Ça me fait bizarre, papa, d'être dans une voiture que tu ne conduis pas. Sinon, Fortuné, il est cool. Je trouve qu'il ressemble à monsieur Propre.

— Ah oui, c'est vrai, maintenant que tu le dis ! C'est drôle. En tout cas, monsieur Propre rend ta grand-mère heureuse. Elle roussit quand il la regarde, c'est bon signe !

— Ça te manque, le ménage à la maison ?

— Non. La seule chose qui me manque vraiment, c'est toi, Simon. »

Et maman, elle te manque, papa ? Tu n'as pas dit un seul mot sur elle aujourd'hui.

Quand une grande personne décide de ne plus parler d'un souci, elle l'enterre si profond que personne n'ose proposer sa pelle.

Est-ce à cause de maman que tu t'es caché dans le lave-vaisselle ? Aujourd'hui, tu as moins de rides sur le front quand tu lèves un sourcil. Est-ce la longue absence de maman qui te fait du bien ? Peut-être en as-tu parlé avec mamie quand vous êtes allés marcher le long de la plage après le déjeuner. J'ai posé mon oreille sur le sable, mais je n'ai rien entendu. Bien sûr je ne te poserai pas toutes ces questions, papa. J'ai trop peur que la petite étoile verte dans tes yeux gris ne s'éteigne. Et puis je manque toujours les coups de fil de maman quand elle téléphone à Lola. Je suis à l'école. Samedi dernier, j'étais avec Fortuné au cinéma. Elle m'embrasse toujours bien fort. Elle pense à moi. C'est peut-être moi qui pense moins à elle. Comme si elle n'était maintenant qu'une photo dans un cadre avec la poussière qui s'est déposée dessus et qui fait le doigt noir. Même sa voix s'est un peu effacée. Je ne l'ai pas entendue depuis longtemps. Aucun film n'existe pour me rappeler le son de sa voix. Maman trouvait ça ridicule, *les plus beaux souvenirs sont ceux que l'on garde en soi. Pas besoin d'image déformante ou d'instants figés. Moi, je me souviens de chaque endroit où on est allés ensemble et je n'ai pas envie de le partager avec qui que ce soit d'autre que toi.*

Fortuné a raccompagné papa dans sa clinique. Je n'y suis pas allé, moi, parce que je n'avais pas envie de dire au revoir à mon papa dans sa clinique. Je l'ai fait sur le sable froid en pensant très fort à la piscine où je le verrai demain.

Sur le petit balcon de l'hôtel, on a fait sécher les serviettes de bain et les maillots. Lola a trouvé papa en forme. Elle chantonne. Une mélodie qu'elle a entendue à la radio et qui lui revient. Elle a l'air gaie. Je me douche vite en regardant le sable et l'eau disparaître dans le trou. Sur le lit, mamie m'a déposé des vêtements. Un short et une chemise blanche, et des sandales où mes doigts de pieds respirent. Pour moi, c'est ça les vacances. Pas de chaussettes, pas de chaussures ni de baskets à lacets. Des sandales et les fesses qui grattent. Le téléphone sonne dans la chambre. J'espère un moment que maman nous a retrouvés grâce à un texto que papa lui aurait envoyé. C'est Fortuné,

rentré, douché, qui nous réclame à la réception. Il
a faim. Il a réservé une table pour trois au restaurant de l'hôtel et il boit un pastis en nous attendant. Lola porte une robe rouge avec des fleurs
blanches et des chaussures plates. C'est les
vacances. Ou presque. Papa ne dîne pas avec nous.

Je termine une dame blanche sous les regards
bienveillants de Lola et de Fortuné. J'ai mal au
cœur, je n'aurais pas dû manger la glace vanille,
le chocolat et surtout la double portion de crème
chantilly. Dans le salon de l'hôtel, on fait une partie de Mille Bornes et un Monopoly. Je gagne, en
trichant, comme d'habitude. On monte se coucher.
Lola et Fortuné s'embrassent sur la joue et se mur-
murent un truc à l'oreille que je n'entends pas.
Fortuné disparaît dans sa chambre après m'avoir
caressé la tête. Je déteste. Seul papa a le droit de
le faire. Lola sort de son sac un bâton d'encens
qu'elle enfonce dans une fausse plante en plastique
un peu moche. Puis elle allume la télé. Une dame
parle des hôtels pour adultes, interdits aux enfants.
Mamie dit « n'importe quoi ! » et elle tue la télé
avec la télécommande. Les hôtels interdits aux
enfants, c'est comme les chambres de papa où je
ne peux pas entrer. C'est peut-être des hôtels où
les malades vont se reposer après les hôpitaux.
Mamie éteint sa lumière de chevet. Je laisse la
mienne allumée. Ma bouche sent le dentifrice à
la menthe.
  Dans la nuit, je me réveille. Un mauvais rêve que
j'ai déjà oublié. Le lit de mamie est vide. Je me
lève sans faire de bruit. Elle n'est pas sur le
balcon. Je sors de la chambre en laissant la porte
ouverte. Il y a de la lumière sous la porte de Fortuné.
Et je ne crois pas que Fortuné ait peur des
monstres. Monsieur Propre n'a peur de rien. Je

colle mon oreille à la porte. Je ne peux pas entrer. Il me manque la carte pour ouvrir la serrure. Je reconnais la chanson de Lola qu'elle chantonne encore. Je l'entends rire aussi comme si Fortuné la chatouillait. Je suis rassuré. Mamie va bien. Je rentre dans ma chambre et je me rendors.

Papa m'attend avec un sac à dos devant l'entrée de la piscine. Fortuné lui écrase la main et nous souhaite un bon après-midi. Moi aussi, j'ai un sac à dos avec ma serviette et la crème solaire. Papa m'achète un bonnet bleu et des petites lunettes rondes pour voir sous l'eau. On se déshabille dans le vestiaire des hommes. J'enferme à clef, dans un petit casier, mon sac à dos, mes sandales, mon short et mon tee-shirt. Avant d'aller au grand bassin, je dois prendre une douche et passer dans un bac d'eau froide pour nettoyer mes pieds. J'y plonge juste un orteil. Je n'aime pas trop l'idée de tous ces pieds qui sont passés avant moi. Papa m'indique un endroit où je peux poser ma serviette et nager là où j'ai la tête hors de l'eau. Il me demande de ne parler à personne, je ne vois pas avec qui j'aurais envie de parler à part lui. Je ne vais sûrement pas tomber sur Jérémy et encore moins sur Lily qui déteste les piscines. Papa enfile son bonnet bleu et ses lunettes de piscine. Il ressemble aux champions olympiques de la télé. Il monte sur une marche et plonge dans l'eau bleue qui sent fort et qui pique les yeux. Il nage la brasse coulée. Je vois régulièrement sa tête sortir de l'eau, puis y retourner. Je le suis un instant des yeux puis je nage la brasse comme papa me l'a appris à Alcudia. Je dessine un cœur avec mes bras et avec mes jambes. J'essaye de ne pas trop boire l'eau bleue de la piscine qui sent fort. Je remonte sur l'échelle en métal qui fait mal aux pieds. Je regarde papa qui continue d'apparaître puis de disparaître. Je me sèche en m'entourant de la serviette.

Du ciel gris pendent des grands lustres en verre par centaines. Les fils plongent dans les nuages. Chaque morceau de cristal enferme des étoiles tombées du ciel qui brillent si fort qu'on pourrait se croire en plein jour. Un jour sans soleil. Je suis au bord de la mer et je creuse un trou très profond. Si profond que je suis dedans pour creuser plus encore. L'eau est sombre, je ne me baignerai pas. La nuit, il y a sûrement des monstres dans l'eau noire. Personne n'est là pour me dire de boucher mon trou. Je creuse avec mes mains, pleines de sable sous les ongles. En levant les yeux, je vois un long tunnel qui débouche sur un grand lustre. Son verre se brise et les étoiles pleuvent dans mon trou. Aucun morceau de cristal n'a suivi les lumières du ciel. Ils ont dû s'échouer sur le sable. Mes pieds nus ne s'accrochent plus à rien et je tombe avec les étoiles dans le vide. La chute est si longue que j'ai le temps d'observer tout ce qui m'entoure. D'autres enfants dégringolent du ciel aussi, protégés par les étoiles qui ralentissent leur chute. Je n'ai pas peur, moi qui d'habitude crains tant le vide. Les étoiles ont quelque chose de rassurant. Elles brillent d'une lueur douce à regarder. Je me pose doucement sur la terre avec tous les autres enfants. Alors les étoiles remontent aussitôt dans le ciel et s'évanouissent. Le ciel est devenu bleu, sans un nuage. Les enfants se dispersent vers les transats où leur papa étale de la crème solaire dans le dos de leur maman. Des yeux, je cherche mes parents. Tout au bout de la plage, papa m'attend. Il n'y a qu'un seul transat sous le parasol. Je lui demande où est passée maman. Il se tourne vers la mer comme si la réponse à ma question s'y

trouvait. Je sens la colère qui me gagne tout entier.
Je tape du pied gauche, du pied droit. Je me mets
à crier. Alors papa me montre une carte postale avec
un kangourou qui fait du vélo. Au dos, maman a
écrit en grosses lettres « Maman pense à toi ».

Papa a l'air content. Il a nagé un kilomètre. Ses
yeux sont rouges. Ils ont bu l'eau de la piscine qui
sent fort. Il me dit que l'eau lui fait beaucoup de
bien et qu'en rentrant à la maison il ira s'inscrire
à la piscine. Il dit aussi que ce n'est pas facile de
nager avec tous les médicaments qu'il avale. Des
fois, son cœur bat si vite qu'il doit sortir de l'eau.
Il est malheureux car il ne fait pas toujours ses
vingt longueurs. Quand tout cela sera fini et qu'il
n'aura plus de pilules à avaler, papa dit qu'il pourra
même nager deux fois plus longtemps.

« Tu veux dire quand le monsieur qui est entré
en toi sera parti ?

— Qui t'a raconté ça ? me demande papa. La
même personne qui t'a parlé des bienfaits de la nage
pour la dépression, c'est ça ?

— Oui, un jour je te la présenterai. Si elle veut
bien.

— Et pourquoi ne voudrait-elle pas me rencontrer ?

— Parce qu'elle n'aime pas trop les grandes personnes.

— C'est un enfant qui t'a dit tout ça ? Jérémy ?

— Jérémy ? Tu le connais. Il ne s'intéresse
qu'aux filles moches.

— Et toi, Simon, tu t'intéresses à quoi ?

— Je m'intéresse à toi, papa. J'ai hâte que tu
rentres.

— Moi aussi, j'ai hâte de retourner chez nous.
En tout cas, le monsieur qui est entré en moi…

C'est vrai, c'est ce que je ressens parfois, comme si je n'étais pas moi-même. Allez, viens, bonhomme, Fortuné doit t'attendre. »

Papa, mamie et Fortuné sont dans le grand parc de la clinique, tous les trois assis sur le même banc. L'endroit s'appelle La Lironde. On entend le chant des grillons. L'herbe est tellement sèche qu'elle casse entre les doigts. Je viens de croiser une dame en robe verte et pieds nus dans ses baskets qui parlait seule à haute voix. Un monsieur en pantalon de sport regarde sans arrêt derrière lui comme si quelqu'un le suivait. Deux garçons fument une cigarette sur un banc et ne regardent rien. La capuche de leur survêtement leur tombe sur le nez, et on ne voit que la bouche et la cigarette qu'ils fument ensemble. J'ai promis à Papa et à Lola de ne parler à personne et j'ai croisé mes doigts dans mon dos comme mamie. Je cherche Lily. Deux blouses blanches passent sans faire attention à moi. Elles se racontent des trucs à propos d'un patient qui a fait une blague. Je les suis un instant pour écouter l'histoire. Tous les malades mangent ensemble dans une grande salle à manger. Chacun a sa place, avec son nom écrit sur un bout de papier. Comme ça les malades sont rassurés, ils savent où s'asseoir en entrant dans la salle à manger. Le patient en question a mélangé tous les bouts de papier. Quand les malades sont entrés dans la salle à manger, ils ont vu un autre nom que le leur et ils se sont mis à crier et à pleurer, le tout à la fois. « Tu sais bien à quel point la moindre contrariété peut dégénérer », a dit la dame en blouse blanche en rigolant. Les malades tournaient autour des tables, quand ils ne couraient pas. Certains même sont tombés, d'autres ont renversé des chaises. Il a fallu remettre tous les petits bouts de papier à leur place et attendre que chaque malade reconnaisse son nom avant que tout ne rentre dans l'ordre. Je laisse les deux blouses blanches et je continue à marcher sans savoir vraiment où je vais. Le parc est beaucoup plus grand que celui de Meudon. Je passe devant un chalet tout en bois où un groupe de femmes et d'hommes fait de la gymnastique. Ils sont allongés sur un tapis bleu ; le professeur est debout. Il tient un sifflet dans sa main gauche. Il demande à chacun de toucher son genou gauche avec son coude droit, puis son genou droit avec son coude gauche. Un monsieur très âgé avec une moustache blanche se trompe. Il touche son genou gauche avec son coude gauche et il dit : « Fastoche ! » Je pense à mes cours de gymnastique à l'école. Mon professeur me fait grimper le long d'une corde à nœuds et je dois tirer fort sur mes bras pour avancer. Tous mes copains me regardent, surtout Jérémy. Je me concentre comme si c'était la chose la plus importante à faire. Chaque nœud sous mes pieds est une victoire. Je sais que j'aurai mal aux bras pendant des jours, mais ce n'est pas grave. Dans ce chalet, on dirait un cours pour des personnes qui n'ont jamais fait de gymnastique de leur vie. Un élève en tee-shirt jaune s'est même endormi. Le professeur l'a vu mais il ne dit rien. À l'école, si je m'endormais pendant le cours, j'aurais un zéro pointé sur mon carnet. Un coup de sifflet retentit. C'est la fin du cours. Tous les élèves sortent l'un derrière l'autre. Même celui en tee-shirt jaune que le coup de sifflet a réveillé. Le professeur a posé sa main sur son épaule en sortant. Soudain, j'aperçois Lily, tout au fond, en train d'escalader une échelle en bois.

« Lily, je dis, tu fais de la gym ?

— Oui, j'aime bien grimper à l'échelle et me pendre à l'envers. Comme ça, je peux te voir différemment. »

Lily a glissé ses pieds sous le dernier barreau et elle s'est allongée sur l'échelle la tête à l'envers. Ses yeux violets m'attrapent. Le sol est son plafond.

« Papa va mieux, je commence.

— Tu vois, je te l'avais dit, avec un peu de temps, tout s'arrange.

— L'eau lui fait du bien. Tu avais raison. Il va souvent à la piscine et il nage sur un kilomètre. Il m'a dit qu'il avait du mal, des fois, à faire ses longueurs. »

Je contemple Lily, toujours pendue sur son échelle. Je m'approche d'elle. Sa joue est si proche. C'est tentant. J'y dépose un baiser. Elle remonte ses bras le long du corps, attrape une barre de l'échelle avec ses mains et fait basculer ses pieds en lâchant l'échelle. Elle retombe sur un tapis bleu, un peu comme un animal de la jungle cherchant sa proie. Elle se retourne et me sourit comme si elle venait de la repérer.

« Le plus difficile pour ton papa, c'est d'aller à la piscine et d'en revenir.

— Comment ça ? je demande.

— Attendre le bus, en bas du chemin avec les autres malades. C'est rare qu'ils se racontent des trucs. Monter dans le bus et payer son ticket. C'est comme si le monde d'avant la dépression refaisait surface. Que va penser le chauffeur qui sait très bien que tu ne dors pas à l'hôtel à cet arrêt ? Mais le chauffeur a souri en rendant la monnaie. Il fait comme si tu étais un touriste et que tu visitais les environs de Montpellier. Se cacher au fond du bus, là où personne ne peut s'asseoir à côté de toi, poser le sac à dos sur le siège d'à côté comme seul voisin possible. Contrôler chaque arrêt du bus comme si c'était le tien, alors que tu prends ce bus plusieurs fois par semaine. Sursauter quand un contrôleur monte à l'arrière du bus et vérifie les titres de transport. Grosses gouttes de sueur comme si le ticket avait quitté la main bien enfoncée dans la poche. Descendre sur la place de la Comédie, noire de monde. Marcher tête baissée. Dépasser tous les cafés et les gens en terrasse qui boivent leur Coca à la paille sans un regard pour eux. Comme si, soudain, tous ces gens assis à la terrasse des cafés allaient se lever et te montrer du doigt en criant : "Tiens, c'est le dingue qui va à la piscine !" Traverser le centre commercial, ses magasins trop bruyants, trop vivants, trop lumineux, la vie d'avant quand tu serais entré acheter un tee-shirt ou seulement un beignet te paraît si éloignée. Ne pas dépenser son argent. Ne rien dépenser. Ne rien regarder. Puis, enfin, cette odeur de chlore qui dit que tu es arrivé à bon port. Payer son ticket d'entrée à la vendeuse qui, elle aussi, te sourit. Elle t'a reconnu. Tu viens plusieurs fois par semaine. Mais que deviendrait ce sourire si tu lui disais que tu viens de La Lironde, là-haut, chez les dingues ? Tu dis juste bonjour et merci. Atteindre les vestiaires la sueur dégoulinant le long de ton dos. Les portes métalliques qui claquent, les enfants qui crient, le groupe de sportifs venus s'entraîner. Tu donnerais tout pour être invisible et échapper aux regards qui pourraient se poser sur toi. Tu voudrais être cette clef qui ferme le casier et à laquelle personne ne prête attention. Cette clef attachée à un bracelet rouge en plastique que tu enroules au poignet. Et que tu contrôleras souvent, comme si l'anneau rouge pouvait s'échapper. Et c'est seulement quand ton corps, enfin, s'enfonce dans l'eau bleue que plus rien n'a d'importance. Ni les cris des enfants dont tu te protèges sous un bonnet serré, ni le groupe de sportifs qui a pris une autre ligne que toi. Seules tes longueurs ont de l'importance. Toucher le mur au bout de la ligne. Disparaître sous l'eau et faire demi-tour. Nager sans fixer l'horizon. Toucher l'autre mur. Recommencer jusqu'à ce que la fatigue t'empêche d'aller plus loin. Et quand tu te retrouves dehors les voix paraissent moins agressives. Tu t'arrêterais presque dans le centre commercial pour ce polo jaune si lumineux. Une prochaine fois. Des soins t'attendent à La Lironde et tu ne te souviens plus bien des horaires de bus. »

Je regarde Lily, le souffle court. À la piscine, hier, j'ai bien vu que papa touchait souvent l'anneau rouge avec la clef du casier. Et, quand il s'est changé dans les vestiaires, je me suis demandé pourquoi il restait si longtemps avant de sortir en maillot de bain. Il avait ce regard un peu fuyant. Ses mains tremblaient. Il transpirait comme si, pour lui, retirer son short et sa chemise à manches courtes avait été un effort de trop. Puis il s'est passé les deux mains sur son visage comme s'il voulait effacer tout ça. Une éponge sur un tableau noir.

« Je ne crois pas que je vais revenir ici, je dis à Lily.

— Non, je ne crois pas non plus.

— Je vais te revoir à Paris ?

— Viens là, Simon, tout près de moi. »

Je m'approche. Les deux mains de Lily touchent mon visage. Je sens ses doigts descendre sur mon petit nez, caresser mon front, effleurer ma bouche, comme si Lily voulait s'en souvenir. Puis ses lèvres se posent sur les miennes. Je la regarde. J'ai les bras le long du corps. J'ai l'impression que mon regard s'agrandit dans le sien. Lily prend mes mains et les met autour de sa taille. Les siennes entourent mon cou. Je me dis qu'on va se faire surprendre par le monsieur à sifflet et par ses élèves nuls. Et puis que je ne reverrai peut-être plus Lily parce que papa va rentrer avenue Paul-Doumer et qu'il n'y aura plus d'hôpitaux pour se retrouver, Lily et moi. Je ferme les yeux. Je sens ses lèvres quitter les miennes. Mon cou ne sent plus la caresse de ses mains. J'ouvre les yeux. Lily a disparu. Je me retourne et la cherche au milieu de tous ces tapis bleus.

« Qu'est-ce que tu fais là, mon petit bonhomme ? me demande le monsieur à sifflet et à grosse voix qui se tient à la porte du chalet.

— Je cherche Lily, je dis.

— Connais pas. Allez, file ! »

Normal que le monsieur à sifflet ne connaisse pas Lily. Il n'est pas malade. Lily n'a rien à lui murmurer à l'oreille, le soir, quand il s'endort dans sa chambre. Et moi, Lily, pourquoi m'as-tu choisi ?

J'ai acheté deux places pour aller voir les Black Eyed Peas au stade de France. C'est mamie qui m'a donné les euros. Papa rentre dans une semaine avenue Paul-Doumer et le concert est dans un mois. À la télévision, j'ai entendu que le stade de France pouvait contenir jusqu'à soixante mille personnes. Ça fait beaucoup de gens. Peut-être un peu trop pour papa. J'ai dit à mamie que Raoul pourrait nous conduire et nous attendre, comme ça, papa sera moins fatigué. Je suis sûr que cela lui fera du bien. Papa aime danser sur la musique des Black Eyed Peas. J'ai l'impression qu'il oublie tout quand on saute tous les deux en l'air, le poing levé. Lola m'a demandé si je voulais encore habiter chez elle le temps que papa s'habitue à son retour. J'ai dit que je voulais être avec papa pour l'empêcher de se servir du lave-vaisselle. Qu'il se sentirait perdu dans cet appartement trop grand pour lui, sans moi dedans.

« Tu as prévenu maman que papa rentrait bientôt ? je demande à Lola.

— Oui. Elle était heureuse de savoir que Paul allait mieux. Mais elle ne connaissait toujours pas la date de son retour.

— Elle t'a dit quelque chose pour moi ?

— Oui, bien sûr. Elle t'embrasse et pense à toi tous les jours. »

La porte d'entrée se referme sur Lola et Fortuné. Je n'irai pas me pencher au-dessus de la rampe du deuxième étage pour les regarder partir. J'aime mieux profiter de papa. Il a déjà rangé ses affaires. Le panier à linge sale est plein, la première machine à laver est en marche. À l'intérieur du hublot, je remarque un polo jaune que je ne connais pas. C'est sûrement celui du centre commercial que papa a finalement acheté. Bientôt tous ces vêtements seront secs et Carlotta les repassera. Ils seront rangés à leur place et ne se souviendront plus où ils ont été portés. Papa a l'air heureux de faire tourner ses machines. Il observe l'eau noyer ses vêtements et laver les taches, les poussières et les odeurs qu'il oubliera lui aussi. Avec un peu de temps, comme dit Lily.

Papa entre dans toutes les pièces, je le suis. Il ouvre grand les fenêtres, passe son doigt sur un radiateur ou un cadre, recule devant les miroirs et dit que cette maison a besoin d'un grand nettoyage.

« Ça sent le renfermé ici ».

Alors je vais chercher un briquet dans son bureau, où je n'ai pas le droit d'entrer, et je reviens avec. J'allume une bougie parfumée dans le salon. Papa s'assoit dans le fauteuil et observe la petite flamme s'élever. Il ouvre la bouche comme s'il allait me dire quelque chose, puis la referme. Je m'assois par terre sur le tapis en laine blanche, je pose ma tête sur son genou. J'attrape les parfums de la bougie par les narines, et pense à maman tandis que papa me caresse la tête.

Maman est dans un avion, assise près du hublot. Elle regarde tous ces vêtements tourner autour des nuages. Shorts, pantalons, chemises à manches courtes, chaussettes, tee-shirts, pulls, sac à dos et polos, dont un jaune qu'elle n'a jamais vu. Elle s'approche du hublot, pose ses doigts dessus et essaye de se souvenir quand papa a porté ce polo la dernière fois. Le jaune est si lumineux, elle s'en souviendrait. Elle n'en a pas vu de pareil à Sydney dans les boutiques où elle a l'habitude de faire ses achats. Personne pour lui tenir la main et l'empêcher de porter quelques paquets de plus. Non, elle ne l'a jamais vu sur Paul à Paris, ou même à Alcudia. Et Paul n'achète rien sans elle. Il ne sait pas faire les boutiques. Cela l'ennuie. Elle a toujours choisi ses vêtements, elle connaît ses goûts, ses couleurs, sa taille. L pour les polos, 42 pour les pantalons. Papa doit juste se déplacer pour l'ourlet. Elle aime bien quand le pantalon tombe au-dessus du talon des chaussures. Lui transpire toujours quand il fait des essayages. Il a hâte que tout se termine bien vite et qu'il puisse retourner dans son bureau écrire les livres des autres. Son bureau, c'est sa grotte. Ça sent la Marlboro rouge. Elle n'aime pas trop y entrer. Elle y est seulement venue fouiller un jour pour voir s'il écrivait un roman, une belle histoire dont elle serait l'héroïne. Sûr qu'elle reconnaîtrait la blondeur de ses cheveux et son nez en trompette.

Elle serait un espion qui reçoit ses missions par texto, envoyés du téléphone portable de son mari. Mais non, elle n'a rien trouvé. Ni dans les tiroirs ni dans l'ordinateur. Alors elle a refermé la porte derrière elle en la claquant fort et elle a avalé six Danone à la pêche, doucement, à la petite cuiller pour se calmer.

Maman retire ses doigts du hublot. Les vêtements se sont évanouis dans les nuages. Elle observe autour d'elle. L'avion est immense. Deux rangées de trois fauteuils de chaque côté et, en son centre, une rangée de six fauteuils. Pourtant, elle est la seule passagère. L'hôtesse lui apporte sur un petit plateau le Martini blanc qu'elle ne se souvient pas d'avoir demandé. Elle se tourne de nouveau vers le hublot. Trois pancartes géantes donnent la direction que doit prendre l'avion. Les pancartes sont noires, les lettres sont rouges. La première indique l'avenue Paul-Doumer. Tout droit. La deuxième désigne le pays des kangourous. À gauche. La dernière, Alcudia. À droite. Maman boit son Martini blanc à petites gorgées qui lui rappelle ses dernières vacances avec Paul. Rien n'a changé dans ce vieil hôtel espagnol. La jolie terrasse tout près de la plage pour boire un thé en regardant la mer. Où, le soir, elle peut sentir la pierre encore chaude sous le pied nu. Un jour, l'endroit sera probablement rasé. On bâtira un hôtel pour adultes, interdit aux enfants. Et cette plage immense, avec ces quelques transats bleu et blanc et ses rares pontons qui courent sur la mer seront écrasés par un bulldozer, comme les coquillages que les enfants adorent ramasser tout au long de la journée pour les enterrer dans les trous qu'ils adorent creuser. Maman soupire. Elle fixe les trois pancartes et ne semble pas surprise quand l'avion soudain fait marche arrière ; la seule direction qui n'était pas donnée. Aucune pancarte pour expliquer où s'en va cet avion avec, à son bord,

une seule passagère. De la place pour ses jambes.
Pas de voisin avec une bouche qui empeste le fro-
mage. Elle soulève les accoudoirs de sa rangée. Elle
s'allonge, étire ses bras. Le verre de Martini blanc
est vide. Il roule dans l'allée centrale.

Je me suis réveillé ce matin avec l'odeur du pain grillé. Papa est de retour. Mamie ne fait jamais griller le pain chez elle. Des fois, elle descend à la boulangerie et en rapporte du pain tiède et des croissants chauds. Je préfère l'odeur du pain grillé. Ça veut dire que papa n'est pas loin. Les fruits frais sont déjà découpés dans une assiette blanche. Sur la table, mon bol jaune Banania avec un monsieur noir coiffé d'un chapeau rouge qui rigole parce que papa est de retour. Le beurre fond dans les petits trous du pain noir et coule un peu dans mon chocolat. Deux petites taches s'y étalent à la surface. On dirait que le chocolat me regarde. Papa est en caleçon bleu foncé et tee-shirt blanc, les pieds nus sur le carrelage frais de la cuisine. Il se coiffe avec la main. Il ne faisait pas ce geste avant. Je pense à Hagrid, le géant barbu de Sainte-Anne, qui faisait ça tout le temps au café. Il n'y a peut-être ni peigne ni brosse dans les hôpitaux. Papa boit son café noir, sans sucre, sans lait. Il trempe sa tartine grillée avec le beurre fondu et la confiture de groseille dans sa tasse de café. Des tas de miettes décorent la table. Je pourrais lui raconter mon rêve d'hier et lui demander où s'en est allé l'avion de maman, mais je me retiens. J'ai peur que papa aille encore se cacher dans le lave-vaisselle. Avant, je lui racontais mes rêves. C'était avant le lave-vaisselle. Avant Lily. Si je retourne un jour à Sainte-Anne, je demanderai à Lily où s'en est allé cet avion avec à son bord une seule passagère. Mais maintenant que papa est rentré chez nous, Lily sera-t-elle encore à Sainte-Anne pour moi ? *Je connais les malades de cet endroit. Je connais leur souffrance. Je sais pourquoi ils sont là.* Elle a beaucoup à faire, je l'embêterais sûrement avec mes questions. Je pourrais aussi demander à papa s'il a eu des nouvelles de maman. Si elle l'a souvent appelé dans sa chambre ou si, comme moi, il a manqué tous ses appels parce qu'il était assis sur le banc d'un parc, ou à table dans la salle à manger devant son nom écrit sur un bout de papier. Je ne le ferais pas parce que je sens aussi que sa dépression et maman vont ensemble. Comme une heure fait soixante minutes. Et soixante minutes font beaucoup de secondes. À cause de toutes ces disputes. Parce que maman a épousé ce pays dont elle est tombée amoureuse.

« Tu m'aides à faire le ménage ? »

Je fais oui avec la tête. Papa sort tout un tas de produits cachés sous l'évier. Dans un seau bleu, il verse l'eau du robinet et un liquide pour nettoyer les sols. Moi, je m'occupe de la cuisine. Je range la vaisselle dans le chariot du lave-vaisselle que je vois comme mon pire ennemi. J'attends que papa soit sorti dans le couloir pour refermer le lave-vaisselle d'un coup de pied. Bien fait pour lui. Je cale les confitures dans la porte du frigidaire, à l'étage des confitures. Et le beurre margarine dans sa boîte verte à côté du fromage. Le frigidaire n'est pas encore à papa. Lola a rapporté quelques courses pour lui éviter d'avoir à en faire à son retour de Montpellier. N'importe, bientôt, il sera plein à craquer grâce au monsieur qui livre et qui sera content de revoir papa. Je prends l'éponge que je passe sous l'eau et je retire toutes les petites miettes noires que le pain grillé a laissées derrière lui. J'attrape le torchon blanc et j'essuie la table blanche de la cuisine. Papa nettoie les parquets de la maison. Ses pieds sont tout sales en dessous. Il se redresse, les deux mains sur son balai, fier du parquet qui brille de partout, même que je ne suis pas autorisé à sortir de la cuisine tant que le sol n'est pas sec. Papa me demande de choisir les films qu'on va regarder dans son grand lit. Je sors sur la pointe des pieds fouiner dans le placard de sa chambre, où il a aligné tous les DVD par ordre alphabétique de film. J'ai attrapé *Shrek 4* ainsi qu'*Harry Potter et les reliques de la mort*. Soudain, j'entends rugir l'aspirateur qui glisse sous les lits et les meubles, dévore toute la poussière, avec son long fil noir comme un serpent qui s'enroule en petits cercles. Sa brosse coiffe les tapis, glisse sur le parquet et avale les dernières miettes du petit déjeuner dans la cuisine. Papa range l'aspirateur puis s'attaque aux vitres, armé du vinaigre blanc et d'un chiffon, en haut d'un escabeau. Je me bouche le nez et je ferme ma bouche pour que le parfum écœurant du vinaigre n'entre pas en moi. De haut en bas, il fait passer son chiffon, en s'attardant sur les coins. Bientôt le chiffon sera tout noir et je tendrai à papa un chiffon tout blanc. Je fais un petit tas des chiffons noirs que je jette dans la corbeille du linge blanc. Papa m'envoie à la douche avant de disparaître dans sa chambre. Je mets un caleçon propre avec des grenouilles à grande bouche que m'a offert Lola, et un tee-shirt vert.

Papa est déjà allongé sur le lit, je le rejoins sur la couette. Ses yeux sont vert couleur feuille et il sent bon le citron. Je lui demande où il a acheté son parfum. *Sur Internet parce que sinon il faut aller à Cannes ou à Londres.* Je me dis qu'avec le billet pour aller à Cannes ou à Londres, plus la nuit à l'hôtel, ça fait cher le citron. J'enfonce le DVD dans la bouche de l'appareil et papa prend la télécommande. C'est *Shrek 4*, que j'ai déjà vu trois fois avec papa. Papa aime bien les films que je choisis, comme ça, il peut s'endormir pendant le film puisqu'il les connaît déjà. Dans *Shrek 4*, l'ogre vert se retrouve dans un monde où il n'a jamais rencontré son amie Fiona. Shrek doit défaire un sortilège et traverser l'autre côté du miroir pour sauver ses amis et reconquérir sa fiancée. Ça lui prend une heure trente-trois. Papa dort déjà. J'en profite pour lui déposer un baiser papillon qu'il ne verra pas s'envoler. Je baisse le son. Je regarde le film et je regarde papa dormir. Je me glisse sous la couette et j'enfonce ma tête dans l'oreiller qui sent son odeur. Papa dort toujours avec plusieurs oreillers. Un sous sa tête, un contre son ventre. Le matin, l'oreiller du ventre traîne par terre. Quand Papa se réveille, il dit que le film était génial. N'importe quoi, il dormait. Je mets *Harry Potter et les reliques de la mort* où Harry, Ron et Hermione doivent détruire le secret de l'immortalité et du pouvoir de celui dont on ne doit pas prononcer le nom. L'histoire se passe souvent dans les bois et ça me fait un peu peur. Je suis content que papa soit réveillé. Je ne risque rien à ses côtés. Aucun monstre n'osera sortir de l'écran, même Voldemort qui ne peut rien contre papa. Qu'il essaye et j'en fais des miettes de pain noir. Dans le film, je préfère Ron à Harry. Il est aussi roux que Jérémy et Lola et c'est quand même dans ses bras qu'Hermione préfère se blottir. Si j'étais roux, je lui ressemblerais un peu je trouve. Et Lily serait mon Hermione. Je ferme les yeux. J'essaye de retrouver le contact de ses lèvres contre les miennes. Jérémy serait vert s'il savait. Mais je ne dirai rien. À côté de la fille en short rose et à la bouche pleine de ferraille, Lily sort du plus beau des rêves. Elle traverse les écrans de télé et, au cinéma, traverse l'autre côté de la toile. Je vois ses yeux violets qui me regardent fixement et son air impressionnant qui fait de moi le petit frère. Celui qu'il faut protéger de ses peurs et parfois de ses questions. Je vois aussi son plus joli sourire remplacer les questions trop perso. Toutes nos rencontres me reviennent comme autant d'apparitions. Papa m'attrape la main et y dépose un baiser d'amour. Je lui dis que j'ai deux places pour aller voir les Black Eyed Peas au stade de France ; papa lâche un « trop cool ! » en levant son poing fermé. Puis il me chatouille et je le chatouille.

Je vais faire attention à toi, papa. Je vais veiller sur toi. Je ne veux plus que tu te caches dans le lave-vaisselle. Je ne veux plus aller à la Foire du Trône sans toi. Je ne veux plus être à l'arrière d'une voiture si tu ne la conduis pas. Sauf le soir du concert au stade de France. Je n'ai plus envie qu'on m'appelle monsieur, ça me fait peur. Je ne veux plus habiter chez mamie aussi longtemps. Juste le samedi, quand Lola fait danser les sorcières et les verres à pied en secret. Je ne veux plus que Fortuné se penche au-dessus de moi comme un arbre quand je révise mes devoirs. Je veux réviser mes devoirs avec toi, rien que toi. Je veux sentir l'odeur du pain grillé quand je me réveille. Je jouerai au loto tous les vendredis avec mon argent de poche et on dira qu'on est super-riches pendant quelques minutes, avant que s'affichent les numéros du gagnant, qu'on ne sera peut-être jamais. Je ne veux plus voir de gris dans tes yeux, ni tes mains trembler, ni ce regard lointain comme si tu te changeais en statue. Je veux t'entendre rire et sentir tes mains qui me chatouillent ou me soulèvent de terre. Je veux faire l'avion, monter sur tes épaules avant de plonger ensemble dans la mer bleue. Je veux, comme maintenant, faire légume et te regarder dormir.

Raoul est venu nous chercher avenue Paul-Doumer, au volant de sa Mercedes noire. Il a l'air content de me revoir et, en ouvrant la porte devant moi, me dit qu'il a fait le plein de bonbons et de barres chocolatées aux noisettes. Raoul fait le tour de la voiture comme si un moustique venait de le piquer, puis il ouvre la porte de papa qui a accroché son sac à dos sur une épaule. Papa est très impressionné. Il me regarde comme l'a fait Jérémy. Ses rides creusent son front en petites lignes droites, parfaites pour écrire les premières phrases d'un nouveau livre. Papa me prend la main. Je lui tends un petit paquet de Haribo à la réglisse. Raoul nous laisse en bas d'un grand escalier que des tas de gens montent avec nous. Tout en haut des marches, le stade de France ressemble à un château fort avec des tours immenses qui avalent les gens arrivés de partout. L'air sent la saucisse grillée. Papa nous achète à tous deux un tee-shirt des Black Eyed Peas. Sûr que Jérémy ne s'en remettra pas. On passe de la porte G à la porte B, suivis de tas de personnes perdues qui demandent leur chemin en montrant leur ticket. Je donne les nôtres à un monsieur à casquette qui décolle le talkie-walkie de ses oreilles pour nous indiquer qu'on est tout en bas, sièges B1 et B2. À nos places, en face de nous, se dresse une grue énorme avec des projecteurs à chaque étage. Un gros monsieur, attaché à la ceinture, l'escalade avec difficulté. Je jette un coup d'œil en bas pour voir s'il y a un tapis de mousse comme sur les trampolines au cas où il ferait une chute, mais non, rien n'est prévu. Un autre monsieur en jean et baskets grimpe comme un singe sur la grue et s'installe juste en dessous du gros monsieur. Lui aussi dirige les projecteurs vers l'estrade. La scène où bientôt nous verrons les Black Eyed Peas se trouve sur ma gauche, tout au fond. Papa a sorti les jumelles de son sac à dos pour les voir de plus près. Je regarde tout autour de nous les gradins se remplir de plus en plus. Il y a autant de bruits que de gens. Pour se faire entendre, ceux qui ont un portable doivent parler fort, on entend tout. *Je suis bien arrivé et le stade est plein à craquer.* Ce n'est pas gentil pour celle ou celui qui ne viendra pas. Une bande de garçons et de filles dévore des boîtes de pop-corn en se racontant des tas de trucs, la bouche grande ouverte. Je n'irai pas regarder dedans avec les jumelles de papa. Sur la scène, un groupe que je ne connais pas a commencé à jouer des chansons. Le son qui monte peu à peu gronde à mes oreilles. Tout commence sur un gradin en face. Les bras se lèvent, puis les gens se rassoient et le gradin d'à côté en fait autant. Toute une mer de gens dont le vent ferait gonfler le ventre en avant, puis en arrière, un peu comme si la foule attrapait une maladie contagieuse. Bientôt, la vague déferle sur notre rangée et, papa et moi, on fait pareil, on lève les bras, on agite nos mains, on se lève, on sort le ventre, on le rentre et on se rassoit. Papa rigole, moi avec lui. C'est comme si on avait neuf ans, surtout papa. Raoul nous a donné deux paquets de Haribo et, à la porte B, papa nous a acheté une énorme boîte de pop-corn sucré, des chips et deux bouteilles d'eau sans bouchon car le monsieur de la sécurité m'a expliqué qu'avec le bouchon la bouteille d'eau peut devenir dangereuse si jamais un dingue la lançait dans le public. Je me demande qui aurait envie de blesser qui que ce soit par une aussi belle soirée. Je regarde derrière moi, tous les gradins sont garnis comme les haricots verts en conserve. Autour de moi, pas un seul siège de libre. Enfin, je dis ça, mais soixante mille sièges, ça prend un maximum de temps à compter. Papa est content, il peut fumer ses Marlboro rouges. Pas de toit au-dessus de nous. Je me demande ce que font tous ces gens quand il pleut. Ils dansent peut-être sous un parapluie. Soixante mille parapluies de toutes les couleurs, ça doit être joli. Ça plairait aux sorcières. Les Black Eyed Peas viennent d'apparaître derrière la fumée qui monte haut dans le ciel. Tout le stade hurle de joie. Moi, je suis un peu déçu, ils sont tout petits de là où je suis. Heureusement, de chaque côté de la scène, je peux mieux les voir sur deux écrans géants. J'attrape alors les jumelles de papa pour les voir mieux encore. À l'intérieur, c'est comme un film en 3D, je pourrais presque toucher la tête de will.i.am qui chante dans un petit micro suspendu à ses lèvres. Il porte un habit qui clignote comme un arbre de Noël. Les vagues reprennent leurs mouvements dans les gradins et la rubéole court jusqu'à moi. Les premières notes de musique résonnent fort, comme si j'avais collé mon oreille contre une des enceintes. J'entraîne papa par la main et on danse comme des dingues, on saute, on crie, on agite nos bras, nos jambes comme si c'était tout mou. Papa monte sur son fauteuil, s'agite comme si des centaines de guêpes lui tournaient autour, saute à pieds joints, fait tourner sa tête comme une poupée de chiffons et transpire à grosses gouttes. Fergie la chanteuse a une voix puissante qui picote tout mon dos jusqu'aux épaules. Elle m'entraîne dans une danse qui ressemble à celle que l'on voit dans les films de cow-boys, quand les Indiens se trémoussent une jambe après l'autre autour d'un feu dans le désert. Elle porte un habit doré qui scintille de partout. On dirait qu'il est fait de papier d'aluminium, comme celui dans lequel Lola emballe le reste d'une tarte aux fraises. Je regarde mon papa. Ses paupières sont fermées, et il danse à s'en déchirer le pantalon. Son pied vient de faire valser la boîte de pop-corn qui s'est répandu comme un tapis de coton beurré. C'est encore mieux que dans le salon de l'avenue Paul-Doumer où l'on pousse les meubles pour danser tous les deux. Au début, j'écoute toujours la musique en tapant un peu du pied. Après quelques minutes, c'est comme si la musique entrait à l'intérieur de ma tête, puis à l'intérieur de mon corps. Je n'écoute plus la musique. Je suis la musique. Je me demande si Lily aime danser. Si elle envoie valser ses souliers comme les sorcières pour bien entendre la musique par les pieds. Si elle déchire sa robe, comme papa son pantalon, pour laisser s'échapper le trop-plein de musique. J'essaye d'attraper ses yeux violets mais ils m'échappent. J'aurais dû emprunter l'appareil photo de mamie et la photographier. Une nuit d'étoiles vient de pleuvoir sur les gradins du stade. Soixante mille petites lumières, grâce aux téléphones portables que les gens viennent d'allumer. Soixante mille, sauf moi, parce que papa trouve que c'est un peu tôt pour avoir un portable. Il m'en a promis un pour le jour de mes dix ans. En attendant, il a bien voulu me prêter le sien et je lève mon étoile parmi toutes les autres. Papa danse toujours les yeux fermés. J'en profite pour chercher le numéro de téléphone de maman, que je ne trouve pas. Je tends le portable à papa qui le glisse aussitôt dans la poche de son jean, et je danse encore et encore jusqu'à ce que papa me propose brusquement de partir avant la fin, à cause des soixante mille personnes qui vont quitter le concert. Toute cette foule qui va se précipiter vers la sortie lui fait un peu peur. On s'enfuit du stade encore désert à l'extérieur. Le sol est recouvert de papiers et les hommes de la sécurité rigolent entre eux. Raoul, lui, s'est endormi sur le volant de sa Mercedes noire.

Aujourd'hui, c'est le dernier jour de classe. Jérémy me dit qu'il part à Chypre avec sa famille. Je ne sais pas où ça se trouve sur le globe. Je n'ai pas osé le lui demander. Je n'ai pas osé lui dire non plus que je ne savais pas où j'allais cet été. J'ai dit que maman rentrait bientôt et que nous allions retourner à Alcudia, comme tous les étés.

Avenue Paul-Doumer, papa s'enferme à nouveau dans son bureau où je n'ai pas le droit d'entrer. Il travaille sur un nouveau livre qu'il doit rendre avant la fin de l'année. Des livres sont ouverts, le cendrier déborde de cigarettes à moitié fumées, son pantalon est taché de mayonnaise tombée d'un sandwich au thon. Le soir, sous son casque, il ne m'entend pas entrer dans son bureau. Je le regarde et je contemple sa nuque. Je l'appelle en silence. Papa passe sa main là où mes yeux le regardent. Puis il retire son casque et se tourne vers moi.

« Qu'est-ce que tu fais là, Simon ?

— J'ai pas sommeil », je dis.

Papa jette un œil sur sa montre.

« Il est une heure du matin. Retourne te coucher.

— Papa ?

— Oui ?

— On fait quoi cet été ?

— Je te le dirai demain matin, Simon, si tu vas te coucher maintenant. »

Je regarde papa.

« Non, je dis.

— Comment ça, non ? demande papa un peu étonné.

— Papa, je veux savoir pourquoi tu ne parles jamais de maman. Tu as l'air d'aller mieux, alors je veux savoir. »

Papa passe sa main sur le bas de son visage, comme s'il voulait effacer sa bouche.

« Parce que, Simon, ta maman ne reviendra pas.

— Elle va rester en Australie, c'est ça ? je dis comme si je le savais depuis toujours.

— Pas tout à fait, Simon. Viens, mon bonhomme, il est temps que je te dise la vérité. »

Maman est partie encore plus loin que l'Australie. C'était avant que papa n'entre dans le lave-vaisselle. Elle qui avait si peur des escaliers en bois qui vont de ma chambre au salon a chuté dans un grand escalier au pays des kangourous. Papa m'a dit qu'elle n'avait pas souffert et qu'en arrivant en bas des marches elle était déjà morte.

Cela veut dire que je ne la reverrai plus. Maman et moi n'irons plus à Saint-Germain-des-Prés acheter des bougies parfumées, des miroirs ou des chaussures. Je ne la tiendrai plus par la main. Elle ne boira plus de Martini blanc. Cela veut dire aussi qu'elle n'a jamais appelé pour me dire qu'elle pensait à moi chaque jour, et qu'elle m'embrassait. De toute façon, elle ne le faisait jamais, ou alors sur le bout de ses doigts avec ce vent mauvais qui emportait toujours ses baisers loin de moi. Dans ce grand escalier où maman est tombée, a-t-elle pensé à moi au moment où son talon s'est cassé ?

Est-ce que mamie croisait ses doigts dans son dos quand elle me disait que j'avais encore manqué l'appel ? Pourquoi avoir attendu si longtemps pour me dire la vérité, papa ?

« Parce que je ne savais pas comment te le dire, Simon. Je n'étais pas préparé à dire à mon fils que sa mère venait de mourir. Personne n'est préparé quand une telle chose arrive. Alors j'ai laissé le temps passer. J'ai peut-être manqué de courage. J'avais beau tourner le problème dans ma tête, chaque fois que je te voyais rentrer de l'école et que tu voulais que je t'aide à faire tes devoirs, je me disais, non, pas maintenant, plus tard. Le matin, je te regardais, à moitié endormi dans la cuisine, je trouvais que la vie était rude pour un père qui ne sait pas comment parler à son fils. Et ce petit déjeuner, j'ai eu de plus en plus de mal à nous le préparer. J'avais l'impression que mes forces m'abandonnaient, la moindre tâche me devenait difficile. Me lever le matin. Prendre ma douche. J'étais presque soulagé de te voir t'en aller à l'école. Je n'écrivais plus, l'ordinateur m'offrait une page blanche. Lorsque j'ai dit à Lola que je n'allais pas bien, elle m'a demandé de faire un effort pour toi. J'ai lutté contre la fatigue qui me paralysait du réveil au coucher. J'avais tout le temps envie de dormir et, dans le sommeil, je parvenais à trouver un peu de réconfort. J'ai aimé ta maman, malgré tout, malgré nos disputes auxquelles tu as, hélas, assisté même de loin, malgré sa décision de s'engager dans ce travail qui allait nous séparer davantage. Ta maman m'a manqué à chaque instant. Avant son accident, je savais que notre histoire touchait à sa fin mais jamais je n'ai envisagé cette séparation-là. Jamais je n'ai imaginé qu'elle s'en irait avant moi, me laissant sans forces, impuissant. Ces derniers temps, tu t'es souvent inquiété de savoir quand elle allait rentrer chez nous. Je n'ai pas pu te dire la vérité. Et, je ne sais pourquoi, un matin, je suis allé me réfugier dans le lave-vaisselle. De cet épisode, je ne me souviens plus vraiment. Je voulais disparaître, sans doute. Ma souffrance était plus forte que tout le reste. À Meudon, j'ai cru très vite que j'allais mieux, que je pouvais rentrer pour t'en parler. Loin de l'avenue Paul-Doumer, chaque geste me paraissait plus facile. Je parlais à des inconnus, je m'en faisais des amis. Puis, lorsque tu es venu me voir, j'ai compris qu'en réalité j'étais loin de la guérison. Un fantôme flottait entre toi et moi. Te voir, c'était voir Carole. Alors, tous les médecins de l'hôpital m'ont conseillé d'attendre un peu avant de te parler. J'étais trop fragile. J'ai même supplié un des médecins de parler à Lola pour lui faire comprendre qu'il fallait attendre. Elle m'en a voulu de te mentir, je le sais. Je n'ai pas eu le courage non plus d'affronter le rapatriement du corps de Carole. Lola s'en est chargée. On l'a enterrée en face, au cimetière de Passy. Quand je serai prêt, si tu le veux bien, on ira la voir ensemble pour lui dire au revoir. Lola m'a appelé chaque jour. Elle est venue aussi souvent que possible. Mais, malgré son attention, j'ai voulu rejoindre Carole. Je sais que tu es au courant, Lola me l'a dit. Quand je me suis taillé les poignets avec le verre, je me suis seulement dit, voilà, c'est fini. Vivre sans Carole m'était trop douloureux, elle était mon entrain, ma motivation. Elle était mon amour. J'espère que tu comprendras tout cela un jour quand, à ton tour, tu aimeras une femme comme j'ai aimé ta maman. Mon garçon, je n'ai pas assez pensé à toi jusqu'à ce que je me réveille à l'infirmerie, où j'ai compris que je n'étais pas mort. J'étais encore dans les vapes et j'entendais une voix murmurer ton prénom à mon oreille. Doucement. Souvent. Curieusement, c'était la voix d'une enfant, la voix d'une petite fille. À mon réveil, pourtant, l'infirmière m'a certifié qu'aucun enfant n'avait le droit d'entrer à l'infirmerie et que j'avais dû avoir des hallucinations. Mais lorsque je suis retourné dans ma chambre, la petite voix douce a continué, la nuit, à murmurer ton prénom. Une fois, elle m'a même dit qu'ensemble vous aviez joué à la marelle et qu'elle t'avait expliqué avec ses mots le mal dont je souffrais. C'est à La Lironde, après les quelques jours que nous avions passés ensemble avec Lola, qu'elle est revenue, la nuit, me dire dans mon sommeil qu'il serait bientôt temps de t'annoncer la vérité. Que je commencerais à surmonter la mort de Carole en t'en parlant. Je sais que tout cela doit te paraître un peu dingue. Mais, après tout, dingue, je l'étais, et j'entendais des voix. J'en ai parlé à Lola qui, les yeux au ciel, m'a fait jurer de ne pas te raconter des bêtises pareilles et que j'avais sûrement rêvé. J'ai promis, en croisant mes doigts dans mon dos, car j'avais confiance en la voix qui m'avait assuré que toi seul comprendrais. J'ai laissé Meudon, Sainte-Anne et La Lironde derrière moi avec un mieux que je ne saurais décrire. Je n'avais rien d'un héros, j'étais juste un père qui en avait assez de mentir à son fils. J'avais aussi un regard différent sur la dépression et sur toutes ces personnes que j'ai croisées lors de mes séjours. Des femmes et des hommes plutôt inoffensifs et fragiles. La règle d'or, m'avait soufflé la petite voix à l'oreille, était d'aller vers les plus silencieux, ceux qui attendent un regard, un geste et de partager avec eux quelques instants forts en émotions. J'ai souvent rencontré des gens plus démunis que moi qui me remontaient le moral, trouvant en eux une force que je n'aurais jamais soupçonnée au premier abord. Des gens paumés que j'aurais fuis, en temps ordinaire, en changeant de trottoir. Je détestais par contre ceux qui se déchargeaient sur moi, me surprenant seul assis sur un banc. J'ai appris à les éviter avant d'entendre leur voix plaintive dérouler toutes les horreurs de leur vie. La petite voix m'a toujours guidé dans ces moments-là. Avant de quitter les lieux, les médecins m'ont recommandé de partir sans échanger ni téléphone ni adresse. Je n'étais pas en vacances, eux non plus. Notre seul point commun, c'était la maladie. Une fois dehors, c'était seul que je devais me reconstruire.

Le plus difficile, quand je suis revenu avenue Paul-Doumer, c'était de ne plus entendre la petite voix me parler. Parfois, je me réveille la nuit, je me lève pour te regarder dormir. Ton sommeil m'apaise, et je retourne me coucher. Te voir ainsi, sans défense, c'est entendre la petite voix qui me murmurait ton prénom à l'oreille. »

Au fond de moi, je savais que papa se souviendrait de Lily. Lily n'est pas le genre de personne qu'on oublie facilement. Maintenant, je n'aurai plus à attendre les appels du pays des kangourous, ceux que je manquais, ceux que j'espérais de tout mon cœur. Ni à guetter cette main dans la mienne en-dehors de la maison. Je ne chercherai plus à me faire aimer d'un fantôme qui un jour décidera de disparaître. Le lendemain où papa m'a tout raconté, je suis retourné à Sainte-Anne. Raoul m'a dit que c'était la dernière fois qu'il me conduisait là-bas. Papa était guéri, Lola lui avait demandé de ne plus me transporter. Je lui ai promis de ne rien dire à mamie mais je devais revoir mon amie encore une fois. Sur place, j'ai parcouru tous les bâtiments, le jardin, la cour, Lily n'était nulle part. J'ai attendu sous la statue, mais Lily n'est pas venue. J'ai pensé très fort à elle, mais cela n'a pas suffi. J'ai regardé chaque banc, chaque chaise. Une blouse blanche m'a demandé ce que je faisais tout seul dans le jardin. Je n'ai pas répondu et j'ai couru jusqu'à la sortie. J'ai attendu que Raoul termine sa cigarette pour me montrer. Puis j'ai laissé Sainte-Anne derrière moi. Je pensais que Lily m'avait abandonné mais ça m'a fait moins de mal que la mort de maman. Quand elle partait en Australie, j'imaginais que tout serait différent à son retour. J'aurais pu me le répéter encore et encore même si rien ne changeait. Lily aurait aimé que rien ne change. Moi, non. Alors, dans la Mercedes noire de Raoul, j'ai fermé les yeux, et j'ai rêvé.

Je suis allongé sur une barque, le nez au ciel. La barque ressemble à celles que l'on peut louer au bois de Boulogne. Luigi le mort se tient debout dans la barque, il a une longue rame dont il se sert pour nous faire avancer. Je ne peux pas voir la couleur de l'eau, recouverte de fleurs blanches et de grandes feuilles vertes. J'ai demandé à Luigi le mort où on allait, mais il m'a montré sa bouche et aucun son n'en est sorti. Luigi le mort est muet. Je l'ai suivi dans cette barque en arrivant au bois de Boulogne parce qu'il m'a montré les lettres du Scrabble qui formaient son prénom et un verre à pied au cas où j'aurais un doute. Dans un rêve, on ne réfléchit pas assez. La barque vient d'être heurtée. Je me retrouve le nez au plancher. Quand je relève la tête, Lily me sourit dans sa barque. Elle me dit que je suis difficile à trouver et que, sans Edmond, elle n'y serait jamais arrivée. Edmond pose sa rame et sort de sa poche les six lettres de son prénom qu'il m'étale dans sa main. Edmond est muet, lui aussi. À l'aide de sa rame, il aligne les barques l'une à côté de l'autre. Luigi le mort lui fait un signe de la tête et nos barques avancent au milieu des fleurs blanches et des grandes feuilles vertes. J'ai calé mes jambes dans la barque de Lily, qui en a fait autant. Nos genoux se touchent. Je lui dis que c'est la première fois que je la vois avec des grandes personnes. Elle répond qu'il n'y a que nous deux dans la barque et que les grandes personnes dont je parle sont mortes depuis longtemps. Je la remercie pour ce qu'elle a fait pour mon papa et pour tous ces mots qu'elle a murmurés à son oreille. Sans elle, papa m'aurait oublié. Je sens une larme couler sur ma bouche. Lily se penche et cueille une fleur blanche qu'elle me fait sentir. Je suis dans le salon de l'avenue Paul-Doumer et je joue à Nintendogs. Maman téléphone à une amie. Papa lit sur le canapé. Lily reprend la fleur et le salon disparaît. Elle dit que les fleurs blanches autour de nous sont la mémoire des souvenirs avec mon papa. Qu'il me suffit d'en cueillir une quand je me sens triste. J'en attrape une au hasard. Je colle mon nez dessus. Je suis dans le lit de papa et je lui fais un baiser papillon. Je souris. J'en saisis une autre. Je vois papa boire son café noir, sans sucre, sans lait. Je demande à Lily à quoi servent les grandes feuilles vertes. Elle me dit que c'est tous les souvenirs à venir, ceux qui n'ont pas encore eu lieu. Je n'ai droit qu'à une seule feuille. Lily me laisse la choisir. C'est difficile, elles se ressemblent toutes. Mais les fleurs blanches, elles aussi, se ressemblent et tous les souvenirs sont différents. Laquelle choisir ? La plus lointaine, au risque de tomber ? Je demande à Lily ce qu'il se passerait si je tombais à l'eau. Lily dit que je me réveillerais à l'arrière de la voiture de Raoul et qu'elle disparaîtrait aussitôt. Je choisis la feuille verte la plus proche. Lily dit qu'il faut que je cache mon visage dedans, sinon ça ne marchera jamais. J'enfouis mon visage dans la feuille verte. Je suis à table avec Lola, Fortuné et papa. Devant moi un gâteau d'anniversaire avec dix bougies allumées. Tout autour, des tas de paquets de couleurs. J'ouvre le premier. C'est le cadeau de papa, celui qu'il m'avait promis pour mes dix ans. Un téléphone portable. J'aimerais ouvrir les autres cadeaux, mais l'image se brouille comme la télévision quand elle ne marche pas. Lily me retire la feuille verte du visage et dit qu'il ne faut pas rester trop longtemps dedans, sinon les souvenirs à venir éclatent comme des bulles de savon. Les deux barques sont revenues au point de départ. Lily dit qu'il est temps de rejoindre Raoul et l'avenue Paul-Doumer. En sautant sur le pont de bois, je lui demande quand je la reverrai. Elle me regarde avec ses yeux violets et me donne son plus joli sourire. Puis elle s'allonge dans la barque de Luigi le mort, le nez au ciel. Les deux barques s'éloignent à nouveau. Luigi et Edmond se retournent, ils font un petit signe de la main pour me dire au revoir.

À l'aéroport d'Orly, papa a dû payer un supplément pour notre valise orange qui pesait cinq kilos de trop. D'habitude, l'été, on part tous les trois avec chacun notre bagage que papa a préparé la veille, en nous grondant un peu parce qu'on emporte trop de vêtements. Cette fois, maman ne viendra pas à Santa Cruz. Sa valise vert pomme est restée tout en haut dans le placard. Papa a rangé mes affaires dans la sienne. Une valise pour deux. Tous les jours, depuis que je sais que maman ne me prendra plus jamais la main, je pense à papa. Même quand il est là avec moi. Des fois, je me réveille avant lui et je vais m'asseoir sur le bord de son lit en attendant qu'il ouvre ses yeux. Je guette leur couleur sous la paupière. Et, chaque fois, un joli vert couleur feuille m'enveloppe comme un paquet cadeau. Le gris couleur tempête s'en est allé. Celui qui était entré à l'intérieur de papa aussi. Un matin, en se réveillant, papa m'a regardé avec ses yeux verts et m'a simplement dit « c'est fini ». Pas besoin de m'expliquer ce qui était fini. Ses mains ne tremblent plus. Papa a retrouvé un regard doux et sans tristesse. Assis, c'est au fond d'un fauteuil ou dans le canapé blanc, et non plus au bord, la tête baissée. Ce jour-là, j'ai cessé d'avoir peur des monstres. Je peux regarder sous le lit ou dans les placards sans ressentir la moindre peur. Je pourrais même m'aventurer dans la forêt de Santa Cruz s'il y en a une. Papa est redevenu mon papa d'avant. Avant le lave-vaisselle. Il écrit même deux livres à la fois. Les mémoires d'une star du rock et celles d'un jeune aux cheveux rouges sorti d'une téléréalité. La téléréalité, j'aime pas trop. On dirait qu'ils sont tous enfermés dans une boîte. Ils se disputent beaucoup et s'embrassent sur la bouche comme s'ils mangeaient une pêche. Pouah. Je préfère encore le baiser d'amour de Franklin. Ils se disent des tas de trucs idiots qu'on oublie aussitôt. Je ne vois pas trop ce que papa va écrire sur ce garçon aux cheveux rouges. À moins de révéler le secret de la couleur de sa tignasse.

Des fois, avec papa, on parle de maman. Je ne l'ai pas vue depuis si longtemps que ça me fait du bien. Papa me raconte son enfance avec des grands-parents qui lui ont tout donné – sauf l'essentiel.

« L'amour, dit papa. Ils avaient perdu leur fils, le papa de Carole, mort avec sa femme dans un accident de voiture. La disparition de ce fils unique les a dévastés et leur a pris tout l'amour qu'ils avaient l'un et l'autre. Ils n'avaient plus rien à donner à Carole, sinon les meilleures écoles privées et de beaux vêtements. Ils répétaient sans cesse à leur petite-fille que le bonheur se méritait et que seul comptait le mal qu'elle se donnerait pour réussir. Le reste viendrait avec. Leur cœur était trop sec pour tenir longtemps. À leur tour, ils sont partis dans leur sommeil. J'ai rencontré Carole tout juste après. »

L'entrée de la maison n'est plus encombrée de paquets pas pour nous. On ne s'assoit pas dans son fauteuil, d'où elle nous chassait quand elle était là, comme si on était une mouche ou un moustique. On est quand même allés acheter des bougies parfumées, mais pas les mêmes, le parfum des autres nous rappelait trop l'absente. Papa n'achète plus de Danone et je n'ai rien dit quand j'ai découvert la farandole de nouveaux yaourts qui a remplacé les anciens. J'ai dit à Jérémy que maman était morte en tombant dans un escalier et il est resté la bouche toute ronde sans rien dire. Il devait penser à sa maman qui distribue le courrier en chemise de nuit, sans jamais s'appuyer sur la rampe cirée deux fois dans la journée par son mari. Il m'a quand même dit que c'était triste de perdre sa maman et que si j'en avais besoin d'une, il pouvait me prêter la sienne. Jérémy, ça l'arrangerait de me prêter Juliette, comme ça, il pourrait faire plus de bêtises et s'échapper par la fenêtre de sa chambre avec Franklin sans se faire prendre. Son papa ronfle si fort qu'il n'entendrait pas les pompiers éteindre un incendie dans leur appartement. C'est Jérémy qui dit ça. Et puis, sa maman, je l'aime bien, surtout quand elle prépare toutes ces petites entrées qu'elle sert sur un plateau, mais je n'ai plus besoin d'une maman. J'ai compris que ça ne servait pas à grand-chose, une maman. Ça rentre fatiguée d'un long voyage avec une grosse valise que papa doit aussitôt monter jusqu'à la chambre. Ça boit du thé au jasmin en avalant un grain de raisin et en vous souriant pareil au miroir qu'elle vient d'acheter. Pas de « je t'aime » comme celui de papa qui se niche dans l'oreille au réveil. Juste un « bonjour Simon » qui coule de sa bouche comme le jus du grain de raisin qu'elle vient de croquer. Des fois, il m'arrivait de lui raconter des trucs que j'avais appris à l'école et maman ouvrait grand la bouche en y posant doucement sa main. Je l'entendais dire « passionnant » ou « incroyable », puis elle se levait pour attraper un Danone dans le frigidaire et le manger lentement à la petite cuiller sans quitter le pot des yeux, comme si j'étais au fond. J'étais assis tout à côté mais je n'avais pas plus d'importance que la table sur laquelle j'appuyais mes coudes. J'observais la cuiller descendre dans le pot et remonter avec une montagne de yaourt engloutie aussitôt dans sa bouche, et j'enviais cette petite cuiller, objet de toute son attention. Je regardais son petit nez en trompette que j'avais envie de pincer entre mes doigts. Juste pour me faire disputer. Juste pour qu'elle s'intéresse à moi. Mais je ne l'ai pas fait. Je n'ai pas osé. Papa me dit que maman n'a pas toujours été comme ça avec moi. Mais je ne me souviens pas de sa main dans la mienne pour aller à l'école, ni des livres ouverts sur lesquels elle me faisait réviser mes devoirs. Ni du bain dans lequel elle me frottait le dos à l'éponge. Ni de ses genoux, quand elle jouait à me faire sauter dessus et que je tendais mes bras en suppliant « encore » comme si j'avais peur que tout s'arrête d'un coup. Eh bien, tout s'est arrêté d'un coup. Seul papa s'en souvient. Il aurait aimé faire des photos de ces moments-là, seulement maman n'a jamais voulu. Elle répétait à papa : « Les plus beaux souvenirs sont ceux que l'on garde en soi. Pas besoin d'image déformante ou d'instants figés. »

Le chauffeur de taxi qui nous attend à l'aéroport de Santa Cruz ressemble à un bandit avec ses grosses moustaches noires et son visage pas rasé. Je ne me sens pas très rassuré. J'ai peur qu'il nous enlève et réclame une rançon à papa, que Lola paierait sûrement en vendant ses bijoux avant d'apporter un sac bourré de gros billets à Santa Cruz. Mais le bandit nous dépose devant l'hôtel sans exiger un seul euro pour sa course. Dans le hall, immense, décoré avec des tas de fleurs blanches dans des vases transparents, un vieux monsieur se réveille au son de la sonnette sur laquelle papa vient d'appuyer. Il fait remplir des tas de papiers à papa et lui donne plein de cartes, une pour le coffre-fort, une pour les serviettes de bain, une pour la chambre, une pour accéder à la plage. Je tombe de sommeil comme le vieux monsieur. Je m'appuie contre papa en regardant ma montre orange qui indique deux heures trente du matin. Un monsieur plus jeune avec une veste verte et des boutons dorés apparaît derrière une plante et prend notre valise. On le suit au cas où il partirait avec. On passe devant une énorme piscine où l'eau semble noire, entourée d'un jardin où je n'ai pas peur. Je ne crois plus aux monstres. Je fais quand même un pas en arrière en voyant les feuilles d'une grosse plante bouger.

C'est rigolo, la clef de la chambre allume aussi la lumière. La chambre est grande, avec deux lits, un pour papa, un pour moi. Sur le balcon, on voit la mer sur la droite et, face à nous, la ville avec des tas de petites maisons allumées. Comme il est deux heures trente du matin, je me dis qu'il doit y avoir des centaines de petits garçons qui ont peur des monstres et qui ont insisté pour que la lumière de leur chambre reste allumée. Ou alors personne ne dort à Santa Cruz.

« Simon, tiens, prends ce tee-shirt. Va te laver les dents, et au lit. Il est tard.

— OK, papa. Lequel des deux lits je prends ?

— Celui que tu veux, mon petit. Je vais défaire notre valise. »

Je change de tee-shirt et je retire mes sandales et mon short kaki. Je bâille comme si j'allais avaler cette immense chambre. Le sol est frais sous mes pieds nus. Il y a du marbre partout dans la salle de bain. Les serviettes blanches sont bien rangées sur les porte-serviettes et en pile sur un panier au cas où on ferait une bataille de serviettes. Le lavabo est tellement propre que j'hésite à le tacher avec mon dentifrice. Je retourne dans la chambre. Papa a ouvert grand la valise orange et il fait des petits tas de vêtements dans le placard à deux portes. Les maillots de bain sont alignés ensemble dans un tiroir. C'est rassurant de voir papa mettre de l'ordre partout. Je me glisse sous la couette, tout près du balcon. En me réveillant, je dirai bonjour au soleil. Au pays des vacances, il fait toujours beau. Papa vient d'ouvrir un deuxième tiroir, mais je n'ai pas eu le temps de voir ce qu'il y glissait. Mes yeux se sont fermés pour de bon.

« Frutti, frutti ! »

Un monsieur au gros ventre transporte un panier attaché autour de son cou. Dedans, des noix de coco, des melons jaunes, des pastèques et des ananas. Comme la plupart des gens dorment sur leur transat, il les réveille en criant : « Frutti, frutti ! » Papa roupille sur son transat bleu, la bouche écrasée sur sa serviette, et les noix de coco s'éloignent sans le réveiller. Sur la plage, au bord de l'eau, une famille a fini d'installer deux tentes bleu et rouge et s'est réfugiée à l'intérieur. Le papa déballe le gros sac qu'il avait accroché à l'épaule et en sort des verres en plastique, un paquet de gâteaux, une bouteille de jus d'orange, une bouteille d'eau, un oreiller, un seau avec pelle et râteau, de la crème solaire, deux masques, tubas et palmes, un appareil photo et deux livres. Je suis trop loin pour savoir si c'est des livres que papa a écrits. Sur le bord de la plage, deux filles courent en maillot de bain. Pour que les garçons les regardent ?

Je suis un appareil photo. Je n'ai nul besoin d'une main ou d'un doigt pour fonctionner. Dans ma boîte, ni piles ni pellicule. Et personne pour développer ces photos. Je garde tout en mémoire. Je prends les photos que les grandes personnes oublient de faire, quand elles me laissent au fond d'une poche ou d'un sac. Ou, pire, à la maison. Je me suis attaché à ce garçon de neuf ans qui a perdu la mémoire de sa petite enfance. Pourtant, le jour où son petit a marché pour la première fois, sa mère a applaudi des deux mains, fière de lui. Clac. J'ai pris plusieurs photos. Dans la salle de bain, clac, j'ai pris la main qui tenait l'éponge et lavait Simon avec douceur. Dans la chambre, clac, j'ai pris le visage de la maman qui se penchait sur son fils endormi, et lui donnait un dernier regard avant de refermer la porte. Par contre, je n'ai jamais réussi à prendre une seule photo où la maman embrasse son fils. Comment a-t-elle pu refuser d'embrasser son petit visage ? C'est pourtant ce qu'elle a fait, détournant ses yeux chaque fois qu'elle sentait que Simon espérait un baiser. À son tour, l'enfant a fini par renoncer à les réclamer. Un jour, dans un film, la dame au nez en trompette a vu cette scène qui l'a marquée : une mère adressait à son fils un baiser sans le toucher. Elle embrassait ses doigts et soufflait le baiser comme un papillon battant des ailes en direction du fils. Ainsi, chaque fois que la maman de Simon devinait la demande de son fils, elle embrassait ses doigts. J'étais là. Elle n'a jamais su que chaque fois le vent était mauvais et que le baiser allait s'échouer au plafond. Et que, pour Simon, c'était juste un baiser de cinéma. Rien de réel. J'étais là, mais je n'ai pas pris de photo.

Sur son transat bleu, papa ouvre un œil qui me sourit. Puis l'autre.

« J'ai dormi longtemps ? il demande en s'étirant un maximum.

— Une bonne heure, je réponds.

— Le premier qui arrive à l'eau a gagné. »

Papa triche autant que moi au jeu. Il n'a pas attendu ma réponse pour bondir du transat et courir à l'eau. C'est à se demander qui a neuf ans.

« J'ai gagné ! » crie papa en tombant dans la mer.

Je cours vite même si j'ai perdu. C'est à cause du sable qui me brûle sous les pieds. Au bord de l'eau, des enfants creusent des trous. Je fais attention de ne pas y mettre le pied et je rejoins papa. Je reçois plein d'eau fraîche que ses mains viennent de m'envoyer. Je crie. J'en fais autant et papa recommence. On disparaît tous deux dans un tourbillon de gouttes salées, et peu à peu l'eau fraîche devient tiède. J'ai bu un peu de mer et mes yeux me piquent. Mais, surtout, mes fesses ne me grattent plus. Avec toute cette eau, je ne dois plus avoir un seul grain de sable dans mon maillot. Je pense à Lily qui n'aime pas la mer et se demande ce qu'il y a de l'autre côté de la ligne sombre. Je pense à mon rêve où, de l'autre côté de la ligne sombre, la main de maman prenait la mienne. Et je me dis que, de l'autre côté de la ligne sombre, c'est encore la mer, plus profonde avec des plantes au fond, des animaux géants et des bateaux qui ont coulé depuis longtemps sans que Neptune puisse les attraper avec son trident, trop occupé à dévorer les petits enfants. Plus loin encore, il y a sûrement une plage, dans un autre pays, avec, au bord, des enfants qui creusent des trous et une petite fille qui s'avance dans la mer, de l'eau aux genoux, et qui se demande ce qu'il peut bien y avoir de l'autre

côté de la ligne sombre. Je ne connais pas son prénom. Je sais seulement qu'elle ne s'appelle pas Lily.

À côté de nos transats bleus, une dame vient
d'arriver avec une petite fille de mon âge. La dame
a ôté son chapeau de paille et ses lunettes noires.
La petite fille me regarde fixement et me sourit
comme si j'étais une glace au chocolat. La dame
blonde regarde sa fille me regarder. Elle sourit et
lui chuchote un truc à l'oreille que je n'entends
pas. La petite fille rigole et retire son short sous
lequel elle porte un maillot de bain jaune. Sa peau,
comme celle de sa maman, a la couleur du cara-
mel. La petite fille regarde sa maman qui lui dit
oui avec la tête. J'ai la figure aussi rouge que le
coup de soleil que j'ai attrapé sur l'épaule quand
la petite fille se plante face à moi, ses deux pieds
nus l'un sur l'autre.

« Bonjour, je m'appelle Alice, dit-elle.

— Bonjour, moi, c'est Simon.

— Tu veux jouer avec moi ?

— Ça dépend », je dis.

Je ne sais pas à quoi jouent les petites filles au
bord de l'eau. Si c'est pour déshabiller une poupée
ou courir sur la plage, non merci.

« J'ai besoin de toi pour creuser un trou, dit
Alice.

— Profond ? je demande.

— Oui, assez pour me coucher dedans. Après,
tu me recouvres avec le sable jusqu'au cou.

— D'accord, je dis. Des fois, je fais ça avec
papa. »

On marche jusqu'au bord de l'eau. On fait attention aux gens qui jouent avec les raquettes et les
balles et qui prennent toute la plage. Alice est
retournée chercher deux pelles comme si elle
savait depuis ce matin que j'allais dire oui. On

creuse et on se raconte des tas d'histoires. Alice habite avec sa maman avenue Rapp, à Paris, dans le septième arrondissement. Son papa et sa maman ne sont plus ensemble depuis deux ans, à cause de son papa qui est parti pour des tas d'autres femmes avec des cerveaux aussi intéressants qu'une bouteille de Coca zéro vide. Sa maman s'appelle Marianne et son papa Nicolas. Sa maman dirige une boutique de pulls en cachemire et, si on se revoit à Paris, elle nous fera sûrement un prix à mon papa et à moi. Alice veut savoir si ma maman est restée à Paris.

« Oui, je dis. Au cimetière de Passy. »

Alice me regarde avec sa pelle en l'air et sa bouche en rond de serviette. Elle dit « oups » et elle creuse comme si elle voulait arriver la première. Je pose ma main sur son épaule pleine de crème solaire et je dis que je voyais très peu ma maman, toujours partie au pays des kangourous, et que, pour moi, elle n'est pas rentrée, c'est tout. Je dis aussi que, depuis, papa n'achète plus de yaourts Danone parce que ça nous rappelle trop maman qui travaillait pour cette marque. Alice sort la tête du trou et me dit qu'elle est allergique aux laitages et qu'elle n'a pas le droit de boire du lait, de manger des yaourts ou des fromages. Dans son chocolat chaud, elle met du lait de soja et c'est pareil. On se regarde, Alice a du sable partout sur le visage. On creuse et bientôt le sable sorti du trou ressemble à une montagne. Alice s'allonge et je prends ma pelle pour élargir encore. Alice dit que sa maman est tout pour elle et qu'elles voyagent souvent ensemble. Je lui demande si elle rencontre des petits garçons comme moi partout où elle va. Alice réfléchit et son air impressionnant me rappelle Lily. Puis elle éclate de rire et dit que je suis le premier garçon à qui elle ose parler. Elle dit aussi qu'elle est timide, mais je ne la crois pas. Je suis sûr qu'elle a croisé ses doigts dans son dos comme font les grandes personnes pour mentir. Je pourrais en vouloir à Lola de m'avoir fait croire que je manquais les appels téléphoniques de maman. Ce n'est pas bien de mentir. De *me* mentir. Mais je me dis qu'elle attendait que papa m'en parle le premier. Et, là où il était, c'était difficile.

« Je reviens », je dis à Alice.

Je cours chercher une petite serviette en papier dans le sac de papa. Papa me demande si je m'amuse bien avec la petite blonde. Je hausse les épaules, « la petite blonde s'appelle Alice », et je retourne auprès d'elle. Les genoux dans le sable, je lui retire, avec la serviette de papier, les grains qu'elle a sur les joues et sur la bouche.

« J'ai cru que tu n'allais pas revenir », me dit Alice.

Papa et la maman d'Alice se disent bonjour le matin, dans la salle du petit déjeuner où, en levant le nez de mon chocolat, je peux voir la mer. Des fois, ils jouent avec les raquettes et la balle rouge que Marianne sort d'un grand sac bleu et blanc. Alice vient s'asseoir au bord de mon transat, à côté de moi, et nos genoux se touchent. Papa fait des bonds de kangourou pour récupérer la petite balle rouge et la renvoyer vers Marianne. Ils rigolent ensemble, tout contents de pouvoir s'échanger la balle plusieurs fois. Puis ils vont se baigner jusqu'à la bouée jaune et nous font de grands signes, tout petits du transat où on est assis, Alice et moi. En sortant de l'eau, Marianne récupère les raquettes et la balle rouge et revient sous son parasol où elle range le tout dans son grand sac bleu et blanc. Alice part la rejoindre et s'allonge sur la serviette jaune de l'hôtel. Elle se tourne vers moi et me sourit. C'est Jérémy qui va être vert quand je lui raconterai tout ça. Papa a mis ses écouteurs sur son iPod. Je reconnais parfois les chansons de Madonna ou de George Michael. La maman d'Alice en fait autant sur son transat et son pied gauche bat la mesure des chansons que je n'entends pas d'ici. Peut-être écoutent-ils la même musique ? Ou alors Marianne écoute des trucs sérieux comme l'opéra où tous les chanteurs sont gros comme des tonneaux. Plus tard, dans la journée, on remonte vers l'hôtel pour chercher des transats libres autour de la grande piscine. Sur un des murs de la cabane à serviettes de plage, il y a une carte postale punaisée avec un kangourou à vélo. La même que maman m'a envoyée du pays dont elle est tombée amoureuse. Je me demande ce qu'il y a d'écrit au dos. « Je t'embrasse. Je pense fort à toi » ? J'en ai parlé avec Alice qui m'a dit que c'était un signe. Même si cette carte postale n'était pas pour moi, elle se trouvait là pour me dire que ma maman pensait à moi. Alors j'ai raconté à Alice les séances de verre à pied, avec ma grand-mère Lola et ses copines les sorcières, et je lui ai fait jurer de n'en parler à personne, pas même à sa maman. Alice a craché par terre et a rigolé. Elle m'a dit qu'elle aimerait bien poser son doigt, un jour, sur un de nos verres à pied si ma grand-mère le voulait bien, et si j'étais d'accord aussi. Je lui ai promis de lui présenter Luigi et Edmond, deux morts très sympas et muets. Alice m'a demandé comment je savais qu'ils étaient muets, là j'ai dit que c'était un secret. Des secrets, j'en ai beaucoup. Peut-être qu'un jour je parlerai à Alice de Lily et de mes rêves. Peut-être même que j'apprendrai à Alice à fermer les yeux et à rêver. Peut-être. Je me sens triste soudain au bord de cette piscine géante où Lily ne viendra jamais. Je fixe les flaques sombres que laissent les pieds nus en sortant de l'eau bleue. J'entraîne Alice et nous marchons dessus sans nous y enfoncer. Une rampe en bois descend vers l'eau profonde. Ni Alice ni moi n'y posons nos mains. Nous avançons au milieu, main dans la main, sous le regard amusé de papa qui s'est redressé sur son transat et, un peu plus loin, Marianne qui regarde papa nous regarder.

Papa a proposé à Marianne et à Alice de dîner avec nous. Leurs yeux ont dit « oui » avant leurs bouches. Demain, papa et moi retournerons avenue Paul-Doumer. Alice va rester encore une semaine avec sa maman à Santa Cruz. Je me souviens du bandit qui nous a déposés le premier soir, en taxi, à l'hôtel. Et demain, ce sera fini. Papa n'a pas bu un seul Get 27 à cause des médicaments qu'il prend encore. Des petits bonbons roses et blancs qu'il avale avec un grand verre d'eau, tous les soirs avant de se coucher. Marianne a commandé un Perrier, elle ne boit pas du tout d'alcool. Elle s'en est excusée, et papa lui a dit qu'il n'en buvait pas non plus. Ils rigolent. Papa ment, sans croiser ses doigts derrière son dos. Alice demande un Coca zéro. On se lève tous les quatre pour aller se servir au buffet. Je pense aux petites mains qui ont préparé les cocktails de crevettes dans les petits verres, les assiettes de pâtés, les soupes froides et chaudes, les montagnes de choux blancs et rouges, carottes râpées, céleris, tomates et salades vertes. Je prends un peu de tout, sauf les céleris que je déteste. Et pas de soupe, même froide. Les soupes, c'est comme la compote. C'est pour les vieux. Par moments, avec Alice, on se regarde entre deux rangées de salades, de chaque côté du buffet. Je suis un peu triste de la quitter. On se reverra à Paris, mais on ne pourra plus creuser de trous pour s'enterrer l'un l'autre. Et à la piscine, à Paris, on ne voit pas la mer. Pas de sable chaud sous les pieds. J'ai promis à Alice de lui donner un ticket doré pour aller à la Foire du Trône. Le ticket doré de maman que j'avais gardé au cas où. Elle était toute contente et m'a embrassé sur la joue. Elle m'a dit qu'elle adorait avoir peur et regarder les gens à l'envers. Quand Alice m'a embrassé sur la joue, j'étais content d'être couleur chocolat. Personne n'a vu le rouge me manger le visage. Je voudrais bien savoir si les grandes personnes rougissent toutes quand on les embrasse. Je ne me souviens plus d'avoir vu maman embrasser papa. Lola roussit quand Fortuné lui fait des compliments. Et il me semble que papa avait les joues ketchup quand Marianne lui a dit que j'étais un gentil garçon bien élevé. Elle a dit aussi que papa pouvait passer la voir dans sa boutique de pulls en cachemire et qu'elle lui ferait un prix pour l'hiver prochain. Elle a écrit son numéro de téléphone sur une feuille de papier qu'un serveur lui a apportée. Elle a dit que la feuille était un peu grande pour écrire dix chiffres, mais elle ne l'a pas déchirée. Elle a plié la feuille en quatre et papa l'a rangée dans sa poche. À ce moment, j'ai pensé au papillon bleu et blanc que m'avait offert Lily et que j'ai perdu sans faire attention. Plus tard, dans la chambre, j'ai attendu que papa se déshabille et qu'il vienne m'embrasser en murmurant un « je t'aime » à l'oreille. J'ai compté autant que j'ai pu pour ne pas m'endormir et je me suis retourné quand je l'ai entendu ronfler. J'ai glissé ma main dans la poche de son pantalon et j'ai glissé la feuille blanche dans la poche intérieure de mon sac à dos. J'avais trop peur de perdre Alice. Ce dernier soir, Alice et moi avons préféré les grandes assiettes pour le dessert et nous les avons remplies de glaces de toutes les couleurs et de gâteaux recouverts de crème. À ce moment-là, j'ai aperçu papa et Marianne du côté des fruits découpés en tranches et il m'a semblé voir leurs mains se frôler au-dessus des assiettes. Quand il s'est retourné, papa avait un air que je ne lui connaissais pas, un air de gros bêta comme aurait dit Lola. Il m'a fait un signe de la main, Marianne aussi. On est allés se rasseoir tous les quatre à table. Je me suis dit que les gens qui nous regardaient devaient nous prendre pour une famille, un papa, une maman, une sœur et son frère. Et j'ai pensé que si un jour on allait au bois de Boulogne pique-niquer derrière le chalet, Alice pourrait tenir le quatrième coin de la grande nappe pour mieux l'étaler dans l'herbe et s'allonger dessus.

La grande valise orange a retrouvé sa copine dans le placard tout en haut. Sa copine vert pomme, qui ne repartira pas au pays des kangourous. Papa a sorti les deux paniers en osier de linge sale, un pour la couleur, un pour le blanc, et il nourrit la machine à laver toute contente d'avaler le sable, les taches et la crème solaire. Je regarde la mousse recouvrir les maillots de bain et les shorts et j'ai la tête toute vide. Je n'ai pas bien dormi dans l'avion à cause de la ceinture.

Je suis assis à l'arrière de la Mercedes de Raoul. La voiture est garée dans une rue que je ne connais pas. Je ne vois pas le regard de Raoul dans le rétroviseur, ni ses mains à dix heures dix posées sur le volant. Personne ne conduit une voiture à l'arrêt.

Lily est assise sur le siège de maman et prend tout ce qu'il y a dans la boîte à gants. Une carte des rues de Paris pour mieux les apprendre par cœur, le paquet de Lucky Strike de Raoul avec le petit briquet vert à l'intérieur, les papiers de la voiture dans une pochette noire, un stylo en feutre bleu, un paquet de Car en sac et une lampe de poche. Lily attrape la lampe de poche et la dirige vers moi, l'allume, l'éteint. Nuit. Jour. Nuit. Jour.

« Bonjour Simon.

— *Bonjour Lily, tu me manques.*

— *Je sais, mais tu dois me laisser partir.*

— *Pour aller où ?*

— *Tu le sais bien, là où je peux faire le bien.*

— *Si je tombe malade, tu viendras la nuit me murmurer des trucs à l'oreille dont je me souviendrais le matin ?*

— *Non, Simon. Si tu tombes malade, ton papa sera là. Tu n'as plus besoin de moi.*

— *Si, je dis. J'ai besoin de toi. Des fois, les souvenirs s'enfuient et maman s'efface comme la pluie sur une vitre.* »

J'ai envie de taper du pied gauche et du pied droit. De serrer mes poings et de me mettre en colère.

« *Tu vas devoir t'y habituer, le temps t'y aidera. Quant à tes souvenirs, c'est peut-être parce qu'ils n'étaient pas si heureux que ça que tu ne t'en souviens pas. Que tu ne veux pas t'en souvenir. Ou parce que chez toi il n'y a ni films ni photos pour t'aider à te les rappeler. Mais tu n'es plus seul, Simon. Tu as Alice, maintenant* », me dit Lily doucement.

Elle fait tomber la lampe de poche. Elle ouvre le paquet de bonbons et avale les Car en sac par poignées.

« Comment tu sais ? je dis.

— *Je sais tout de toi, c'est comme ça.*

196

— Ce n'est pas juste, moi, je ne sais rien de toi.

— Ce n'est pas vrai, tu en sais plus que la plupart des malades dont je m'occupe.

— Mais je ne suis pas un malade sur lequel tu veilles.

— Non, et tu ne le seras jamais. Tu es le seul petit garçon en bonne santé auquel j'aie fait attention. Maintenant, il faut se dire au revoir. Alice est gentille. Elle s'occupera bien de toi.

— J'ai son téléphone, je dis. Papa dit qu'il faut attendre au moins deux semaines avant de les appeler. Deux semaines, ça fait beaucoup de jours.

— Invite-les pour ton anniversaire, elle et sa maman. Dix ans, c'est important.

— Comment tu sais que je vais avoir dix ans ? »

Lily ne répond pas. Je m'attends à la voir sourire comme elle le fait chaque fois qu'elle ne veut pas répondre à mes questions. Mais sur le siège de maman, il n'y a plus personne. Je cherche la lampe de poche que Lily a fait tomber. Je me glisse entre les deux sièges de devant et je m'assois sur celui de maman. J'ouvre la boîte à gants. Il n'y a rien dedans.

Ce matin, j'ai dix ans. Papa au réveil me dit dix fois « je t'aime ». Il sent bon le citron. Quand je serai vieux et que j'aurai vingt ans, je me demande si papa me dira vingt fois qu'il m'aime, sa bouche dans mon oreille qui me chatouille. Je prends ma douche. L'eau tiède coule sur ma peau de lion, né un 25 août. Lola dit que je suis le roi des animaux et de ma famille. Que sans moi papa n'aurait pas guéri aussi vite. Je suis le roi de rien du tout. Papa et moi, on sait tous les deux qu'il n'aurait pas guéri si vite sans Lily. On le sait, mais on n'en parle pas. Je me lave avec mon gant de toilette que j'ai bien savonné, en fermant les yeux, sinon ça pique. En plus, le lion est un animal très courageux et moi j'ai peur de tout. Ou presque. En tout cas, je n'ai pas eu peur d'écouter le portable de maman. Je l'ai allumé, j'ai fait le code 1, 2, 3, 4. Maman avait trop peur de l'oublier, alors, quand papa lui a offert un nouveau portable, elle m'a demandé un numéro facile. Il y avait deux messages. Une dame qui s'appelle Sonya et qui dit à maman avoir trouvé un boulot mieux payé et qu'elle donne sa démission. Elle est désolée pour tout le travail que maman fera à sa place et l'embrasse très fort. C'est peut-être à cause de ce travail en plus que maman a trébuché avec des tas de dossiers pleins de feuilles qui ont recouvert son corps en bas des marches. Le deuxième message est de papa. Il dit qu'il a bien eu le sien et qu'il est heureux pour sa nouvelle promotion. Il aurait préféré tomber sur elle plutôt que sur le répondeur. Il a hâte que maman rentre parce qu'elle lui manque beaucoup. Il dit que Simon aussi. Et que, lui aussi, il l'embrasse bien fort. Ce n'est pas vrai, je n'ai jamais dit ça. Peut-être que papa ment aussi quand il dit à maman qu'elle lui manque beaucoup. Si maman avait été là pour mes dix ans, Marianne et Alice n'auraient pas été invitées. Mais si maman avait été là pour mes dix ans, papa et moi ne serions jamais allés à Santa Cruz. On serait partis à Alcudia. Maman aurait retiré sa chaussure le soir, pour toucher du pied la pierre encore chaude. Elle aurait bu un Martini blanc et papa et moi un Coca. À cause des petits bonbons roses et blancs, même à Alcudia, papa n'aurait pas bu le soir, sur la terrasse de l'hôtel, son Get 27. Et si maman n'était pas morte, je n'aurais pas invité Alice pour mes dix ans. C'est papa qui a appelé. Il a dit « bonjour, c'est Paul ». Il a rigolé. « Oui, Paul de Santa Cruz » comme si c'était son nom de famille. Il a demandé à la maman d'Alice si elle voulait bien venir pour mes dix ans, avenue Paul-Doumer. « Avec Alice, bien sûr. » Il a rigolé. Il a dit « juste la famille et des amies de ma mère, plutôt marrantes ». Il a donné l'adresse, le code et l'heure. Il a dit : « Non, pas de chichis. » Il a rigolé et il a raccroché.

Papa a acheté des ballons déjà gonflés qui sont tous collés au plafond du salon et de la salle à manger. Si on était dans la rue, ils disparaîtraient derrière les nuages. Au-dessus de moi, un ciel de ballons de toutes les couleurs. Sur la table de la salle à manger, deux piles d'assiettes, plein de verres à pied, et pas question ce soir d'appeler Luigi ou Edmond, des tas de fourchettes, de couteaux et de petites cuillers qui dorment dans un panier. Des corbeilles de pain, et deux gros bouquets de fleurs de chaque côté de la table recouverte d'une belle nappe blanche. Papa a acheté des marguerites et des tournesols. Maman demandait toujours des roses et des pivoines. Peut-être que papa n'a pas pris de roses et de pivoines pour que je ne pense pas à maman le jour de mes dix ans. Des petites bougies blanches, cachées dans des pots, diffusent une lumière orange. Marianne et Alice arrivent les premières. Marianne porte des tas de paquets que papa va cacher dans son bureau où je n'ai pas le droit d'entrer. J'ai envie de prendre Alice par la main et de l'emmener à la plage pour creuser un trou assez profond et y disparaître. Alice m'embrasse sur les deux joues en posant les mains sur mes épaules. Sa peau est chocolat, ses cheveux blonds, sa robe verte, ses sandales blanches. Elle dit : « Je suis si contente de te revoir ! »

Moi aussi, mais je ne dis rien. Je lui prends la main.

« Tu veux un Coca ?

— Tu as du zéro ?

— J'ai dit à papa d'en acheter.

— Tu es gentil, Simon.

— Viens avec moi. »

J'entraîne Alice à la cuisine. Dans la porte du frigidaire, j'attrape une bouteille de Coca zéro. Sur la table de la cuisine, je lui montre toutes les assiettes que papa et moi avons préparées. Des petits canapés de tarama, de guacamole, de saumon, de thon mayonnaise et d'olives noires écrasées. Il y a aussi des petites saucisses, du boudin blanc, du saucisson, des amandes, des noix de cajou et des cacahuètes. Je vole un canapé de saumon, Alice une petite saucisse. La sonnette retentit. Je cours avec Alice pour voir qui vient d'arriver. C'est Lola, Fortuné et les sorcières. D'autres paquets disparaissent dans le bureau de papa où je n'ai pas le droit d'entrer. Clac. Lola nous prend en photo, Alice et moi. Des foulards de couleurs tombent des épaules des sorcières qui retirent leurs souliers. Un petit tas de souliers dans un coin du salon, mais personne ne danse. Les pieds sont contents, ils respirent. Les ongles sont bleus, ou verts, ou roses, ou violets, ou rouges. Fortuné est l'arbre géant dans la forêt des sorcières. Mais il ne quitte pas Lola des yeux. Surtout quand elle annonce à papa qu'elle va se marier bientôt. Papa ouvre la bouche grenouille grande ouverte et mamie en fait autant. Puis ils rigolent et papa serre Lola dans ses bras. Moi, je suis content pour mamie. C'est mon premier cadeau d'anniversaire. Mamie dit qu'elle va se marier en blanc, jusque dans ses cheveux roux où elle accrochera des fleurs blanches, je sais pas lesquelles. Les sorcières tapent des mains. Elles ont promis à Lola qu'elles oublieraient les couleurs le jour du mariage et qu'elles porteraient, elles aussi, du blanc, jusqu'aux ongles des pieds et des mains. Violette regarde les CD près de la chaîne et en choisit un. Dès que les sorcières reconnaissent Chaka Khan, elles se mettent à danser, les bras levés vers les ballons de couleurs. Marianne s'est glissée entre Rose et Violette. Elle est habillée en blanc, déjà prête pour le mariage de Lola. Elle danse aussi bien que les sorcières qui l'encerclent en lui murmurant des tas de trucs à l'oreille que je n'entendrai jamais. Marianne rigole. Elle tend la main vers Alice qui court la rejoindre. Alice se retourne vers moi et me dit « viens » avec ses yeux. Même papa a posé l'assiette de petits canapés de saumon et a rejoint Marianne. Lola danse dans les bras de Fortuné comme s'ils n'entendaient pas les boum boum de la chanson. Alice regarde les pieds nus des sorcières avec envie et fait valser ses souliers blancs. Ses ongles ne sont pas peints. Je remue mes fesses et on rigole avec Alice. Papa fait tourner Marianne autour de son bras. Il demande à Lola et à Fortuné quand ils vont se marier. Lola dit : « Dans un mois. À l'église, puis dans un château qui appartient à des amis de Fortuné, à côté de Fontainebleau. » Je veux savoir si Fortuné lui aussi sera en blanc. Tout le monde rigole. Fortuné dit qu'il portera un chapeau haut de forme pour recouvrir son crâne chauve et un smoking queue-de-pie. Mamie me dit que c'est l'habit le plus élégant à porter pour un homme, mais qu'elle espère que Fortuné ne le portera qu'à son mariage. Les sorcières pouffent. La musique s'arrête. On entend nos souffles courts et on se précipite vers les boissons. Coca pour moi. Coca zéro pour Alice. Champagne pour tous les autres. C'est Fortuné qui a apporté les bouteilles.

Il dit : « Un anniversaire de dix ans sans champagne, c'est comme un trampoline sans élastiques. » Et il me regarde en souriant. Je l'aime
bien, Fortuné. Je le préfère en grand-père. Papa
contemple Lola, tout heureux de l'imaginer en robe
blanche. Je me dis que ça doit lui faire tout chose
de penser que sa maman va se marier pour la première fois. Et si Fortuné devient mon grand-père,
il sera aussi le père de mon papa. Trop tard pour
lui offrir des souris géantes et des lapins roses.
Mais je sais que Fortuné veillera sur papa comme
si c'était un trampoline avec des élastiques. La sonnette retentit, c'est Jérémy et Franklin, avec sa
maman et son papa. Franklin remue beaucoup de
la queue, il est content d'être invité à mon anniversaire. Il fait le tour du salon, renifle tout le
monde, un petit coup de langue par ici, un petit
coup de langue par là. J'oublie de fermer la bouche
quand il m'embrasse. J'ai l'impression de manger
toute l'assiette de canapés de saumon en une seule
bouchée. Un saumon avec une langue énorme.

Maintenant, tous les paquets cachés dans le
bureau où je n'ai pas le droit d'entrer sont alignés
sur le canapé blanc dans le salon. Je pense à tous
les paquets que maman abandonnait dans l'entrée.
Les paquets pas pour nous. Et puis j'oublie
maman. Tous ces paquets sont pour moi. J'ai dix
ans. J'ouvre le premier. Celui du milieu. C'est un
pull très doux couleur du ciel de bonne humeur.
Marianne me dit qu'elle espère que c'est mon premier cachemire. Papa dit « oui » et « il ne fallait
pas ». Il fait très chaud dans le salon. Peut-être à
cause des bougies, peut-être parce que j'ai dansé.
Tant pis, j'enfile le pull en cachemire bleu et je
me regarde dans les yeux d'Alice. Je lui demande
de choisir mon deuxième paquet. Alice prend le

sien. C'est un joli sac à dos tout noir avec un drapeau américain. Je me dis que je pourrai l'emmener avec moi si on retourne au bois de Boulogne,
derrière le chalet. Je pourrai y ranger tous mes
secrets et un livre de papa. J'embrasse Alice sur
les deux joues et sur le nez. Marianne nous sourit.
Lola a choisi le troisième paquet, la main sur les
yeux. Les sorcières m'offrent une super montre
Nike qui s'appelle Tomtom. Même qu'elle est équi-
pée d'un GPS pour mieux retrouver mon chemin.
Violette dit que si je cours avec, Tomtom va indiquer la vitesse et le nombre de calories que j'ai
brûlées. Moi, je crois que je vais le prêter à papa.
Tout le monde vient voir la montre, même Jérémy
aussi vert que l'herbe dans le parc. Papa me tend
le paquet suivant. Je me dis que je suis pourri gâté
grave. C'est un portable. Un vrai. Je pense à Lily
qui me l'avait annoncé. Je n'ai pas de feuille verte
autour du visage. Je ne suis pas dans un beau souvenir à venir. Je ne suis pas avec Lily qui m'a prié
de la laisser partir. Comme la main de maman que
j'ai lâchée dans mon rêve. Et je ne suis pas dans
un de mes rêves. Je défais l'emballage. Je coupe
les fils avec mes dents. Papa me gronde. Je vais
pouvoir l'appeler de l'école ou quand il va à la piscine, deux fois par semaine. Et Alice pour aller au
cinéma. Et mamie pour dormir avec elle. Avant
qu'elle ne soit tout en blanc avec Fortuné à ma
place. Les sorcières m'offrent aussi une chemise à
petits carreaux violets et blancs. J'ai reconnu le
cavalier qui joue au polo cousu dessus. La bouche
de Jérémy toucherait presque le parquet. Il dit que
j'aurai son cadeau en tout dernier, sinon je vais
deviner l'avant-dernier. Papa dit « chut » avec son
doigt. Comme Lily sur son banc quand je me pro-
menais dans le parc avec Lola et papa. J'ai ouvert
tous les paquets. J'ai eu aussi du chocolat et des

tonnes de bonbons de toutes les couleurs. La DS de *Titeuf* le film où je dois courir derrière un mammouth pour lui grimper dessus. Les CD des Black Eyed Peas que je n'avais pas. Des films pour faire légume avec papa le dimanche, *Pirate des Caraïbes 3* et *Nemo*, l'histoire d'un papa poisson qui doit parcourir l'océan pour retrouver son fils poisson. Papa a disparu avec Jérémy. Ils reviennent chargés d'un carton et de deux paquets verts avec un nœud jaune collé dessus. Franklin mange les emballages et s'arrête soudain en voyant le carton remuer. Moi aussi, je l'ai vu bouger. Papa me fait signe de l'ouvrir. En sort une petite tête avec deux grandes oreilles pendantes. Un œil blanc, l'autre noir. Franklin s'avance doucement et remue la queue. Il a reconnu un copain. En beaucoup plus petit. Il en gémit de joie. Je vais l'appeler Georges. Je dis « bonjour Georges » et Georges penche un peu la tête sur le côté. Les sorcières sont à quatre pattes. Rose le trouve « trop chou », Violette « à croquer ». Georges s'échappe du carton. Il n'a pas envie d'être croqué. Jérémy retient Franklin qui pleure sans larmes. Il a envie de jouer avec Georges et sûrement de lui renifler le trou de balle. Les chiens se disent bonjour comme ça. Pouah. Alice s'est assise à côté de moi. Elle tend la main. Georges la renifle et donne un petit coup de langue. Georges me regarde. On dirait qu'il a peur de tout. Comme moi. J'ai l'impression qu'il m'a fait pipi dessus. En me relevant, j'en suis sûr. Papa me dit qu'il va falloir le promener au moins toutes les deux heures. Je regarde ma montre, la nouvelle, celle avec le GPS. Franklin est jaloux. Il s'est couché sous la table basse du salon. Sa tête sous ses deux pattes de devant, il nous regarde regarder Georges et laisse échapper un soupir. Jérémy a déballé pour moi les deux paquets. Une laisse marron et un petit panier avec un coussin sur lequel est écrit « hôtel Del Mare ». Je me dis que Georges va être heureux à la maison quand tout s'éteint. Je n'aime pas trop. Je reconnais le rire de Lola, mais j'ai peur que les monstres profitent du noir pour avaler Georges ou me caresser le dos comme sur le train fantôme. J'entends tout le monde chanter très faux un « joyeux anniversaire Simon ». Un gros gâteau sort du noir avec dix bougies dessus et s'approche de moi comme s'il volait. Les lumières se rallument. Papa est devant moi avec le gâteau dégoulinant de crème et de cire de bougies. Je respire à fond et j'éteins les dix bougies d'un coup. La force est avec moi. Les cris et les applaudissements bouchent mes oreilles. Lola s'approche de moi et me dit que je suis un grand garçon maintenant. Parce que j'ai soufflé mes dix bougies en une fois ?

Papa et moi marchons, main dans la main, dans les allées du cimetière de Passy. Partout, des maisons en pierre ou en marbre pour les morts. Des fois, on croise des gens en noir. Ou en gris. Comme les maisons en pierre où dorment les morts pour toujours. Je me dis que les sorcières seraient malheureuses dans un endroit pareil. Pas question de retirer ses souliers et de danser entre les tombes. Personne pour admirer le ciel aussi bleu que les piscines. J'ai les yeux sur mes chaussures comme papa. Il y a des maisons un peu partout et je me dis que les morts qui dorment pour toujours sous la pierre ou le marbre ne peuvent pas voir le ciel tout bleu et les jolies fleurs dans des bocaux à confiture. Papa a emmené des pivoines et des roses, les fleurs de maman. Devant sa maison, je pose le vase que j'ai porté depuis ma maison. Je me demande si maman viendra sous nos doigts papillons la prochaine fois que nous ferons tourner le verre à pied chez Lola avec les sorcières. Maman la morte. Elle dira avec les lettres du Scrabble combien elle s'était trompée à propos de Georges. À propos de tout. Si elle n'était pas partie aussi souvent au pays des kangourous, elle aurait fait plus attention à moi. Et ses baisers sur le bout de ses doigts se seraient changés en douces caresses. Et ses bras autour de moi m'auraient fait disparaître à l'intérieur. Son menton appuyé sur la tête, j'aurais senti son parfum. Je ne me souviens plus de l'odeur de maman.

Je détaille sa nouvelle maison. Sur la pierre horizontale, son nom *Carole Ravine*. Dessous, deux dates. Le jour où elle est née et le jour où elle est morte. Moi, j'aurais mis des tas de photos dans des cadres pour dire tout ce qu'il s'est passé entre toutes ces années. Mais je n'étais pas né et Lola n'a jamais pris de photos de maman. Papa s'est agenouillé pour arranger les fleurs dans le vase, comme le faisait toujours maman en découvrant ses fleurs. Il reste à genoux et ferme les yeux. Peut-être pour se souvenir de maman ? Je regarde tout autour de moi les autres maisons en pierre avec dedans des tas de gens que je ne connais pas, un jour pour la naissance et un autre pour le grand départ. Ce n'est jamais les mêmes. Des fois, les morts sont morts très jeunes. Plus jeunes que moi. Des fois, les morts sont restés vivants deux fois plus longtemps que l'âge de papa. Et je ne sais rien d'eux. Je ne sais pas s'ils aimaient les fraises Tagada. S'ils étaient aussi grands que monsieur Propre ou si petits qu'on ne faisait pas attention à eux. S'ils aimaient danser ou rêver comme moi, les yeux fermés. S'ils aimaient se parfumer au citron comme papa ou comme Lola avec son parfum qui sent les fleurs, je ne sais pas lesquelles. S'ils ont eu un Georges.

Georges n'est pas venu avec nous. C'est trop triste pour un petit chien d'aller au cimetière de Passy. Il est resté avec Carlotta et doit sûrement manger les fils de son fer à repasser qui ne repassera plus de linge. Georges adore les fils. Depuis qu'il a mangé deux fois ceux de l'ordinateur de papa, il n'a plus le droit d'entrer dans son bureau. Au moins, je ne suis plus tout seul. Georges s'est aussi attaqué à toutes les lampes hautes du salon. Et, le soir, on ne voit plus rien. Moi, je m'en fiche d'être dans le noir dans ma chambre. Je n'ai plus peur des monstres. Depuis que Jérémy est venu pour mon anniversaire, il me parle souvent d'Alice et ça m'énerve. J'aimerais pouvoir parler d'Alice avec Georges. Et seulement avec Georges. Jérémy dit des trucs comme quoi on est amoureux et, quand il dit ça, il est triste à cause des filles moches qui s'intéressent à lui. Il vaut mieux ne parler à personne des gens qu'on aime. Les mots pour dire la magie et le mystère de la personne qu'on aime n'existent pas. En parler retire même un peu de magie et de mystère. Après, c'est quelqu'un comme tout le monde et c'est bien fait pour celle ou celui qui en a trop parlé. C'est peut-être pour ça que j'aime encore maman. Personne ne m'en a vraiment parlé. Ni papa ni Lola. Papa parle très peu de lui et encore moins de maman. Lola ne l'aimait pas. Quand on n'aime pas les gens, on ne dit pas de choses gentilles sur eux. Les gens pas aimés n'ont que des défauts.

Je pose ma main sur l'épaule de papa toujours à genoux. Papa ouvre les yeux. Une petite larme roule sous sa paupière. Papa l'essuie vite avec sa main.

« Tu es triste, papa ?

— Oui, pas toi ? »

Je ne réponds pas. Je pense à Georges qui m'attend. Non, je ne suis pas triste. À part la petite larme de papa.

« Tu n'es plus malade ? je demande un peu inquiet.

— Non, c'est d'être ici qui me fout un peu le cafard.

— Alors viens, on s'en va. »

Je n'ai pas envie de voir une étoile grise dans les yeux de papa. Maman non plus n'aimerait pas. Avant les disputes, ce qu'elle aimait, c'était le vert couleur feuille. Des disputes, il n'y en aura plus. De sa maison, maman peut parler à la terre et aux petits vers qui se tortillent. Lola dit que les morts sont susceptibles. Qu'il faut les appeler par leur prénom. Je vais demander à Luigi et à Edmond d'être gentils avec maman. Et comme ils sont muets tous les deux, personne ne se disputera. Je dirai à Carole la morte de retourner avec eux sur le lac du bois de Boulogne. Pas celui où j'emmènerai bientôt Alice, non, celui avec les nénuphars et les fleurs pour se souvenir des belles choses. J'imagine que Luigi ou Edmond le mort ne proposera pas à maman d'enfouir sa tête dans les feuilles des nénuphars. Là où maman se repose, il n'y a pas de souvenirs à venir.

Georges dort sur mon ventre. Il pèse aussi lourd que l'ordinateur portable de papa. J'ai ouvert la fenêtre pour laisser entrer les bras du soleil qui m'entourent sur le lit où je suis allongé.

Je suis au milieu d'une immense pièce vide. Je vois mon reflet se multiplier dans les miroirs qui recouvrent les murs, le sol et le plafond. Je suis peut-

être à l'intérieur d'une boîte à bijoux comme celles qui ont permis à Lola d'acheter sa maison rue Lamarck. Je pense fort à maman quand elle achetait un miroir à Saint-Germain-des-Prés et à moi qui essayait, en me hissant sur la pointe des pieds, d'apparaître dans le cadre pour nous voir ensemble. Un miroir en face de moi s'ouvre comme une porte. Maman arrive, un foulard crème enroulant ses cheveux blonds, des lunettes noires sur son nez trompette et un sac marron sur l'épaule. Elle me fait un signe avec la main et vient s'asseoir à côté de moi par terre. Dans ma pièce, il n'y a aucun meuble, aucun cadre, aucune lumière et, pourtant, je me vois très bien avec maman. Nous deux, par centaines. Elle dit qu'elle est contente d'être ici, car dans sa nouvelle maison elle ne porte jamais son foulard crème et ses lunettes noires. Elle me demande si elle peut les garder. Je dis oui avec les yeux. Elle sort un paquet de son sac marron entouré d'un joli ruban rouge tout autour et un gros nœud au milieu. Elle est désolée d'avoir manqué mon anniversaire. Elle a rencontré Luigi qui l'a beaucoup aidée à choisir mon cadeau. Elle trouve ce mort « absolument épatant ». Il sait tout faire. J'ouvre mon paquet. C'est un jeu de petits chevaux en bois. On n'y a jamais joué avec maman. Je lui propose une partie. Elle dit doucement « je suis là pour ça ». Je place les chevaux sur leurs cases. Je lance un dé. Maman le sien. Je lève mes yeux vers les miroirs qui s'ouvrent devant moi. Luigi et Edmond nous rejoignent. Luigi me tend un papier sur lequel est écrit « c'est mieux à quatre ». Edmond me sourit. Comme il n'y a pas de tables ni de chaises dans ma pièce immense, on s'allonge tous pour jouer aux petits chevaux. Avec le miroir au sol, c'est comme si on jouait à huit. Maman approche sa tête de la mienne et m'embrasse sur le nez. Elle rit. Elle dit « c'est nouveau ». Je m'approche de sa joue que j'embrasse juste sous la branche de ses lunettes noires. Je ris. Et je regarde nos reflets souriants dans le miroir. Maman est beaucoup plus gentille, morte. Ce qui ne m'empêche pas de tricher et de retourner le dé en ma faveur pour rejouer. Un serveur surgit d'un miroir et dépose près de nous des verres de citronnade sur un plateau. Il a des oreilles aussi grandes que Georges et un chapeau rouge en forme de cloche. Puis il rejoint le miroir et disparaît dedans. Maman m'embrasse le front, et dit « j'adore ce jeu ». Son cheval rouge fait sauter le mien, elle bat des mains. Finalement, même morte, elle n'est pas si gentille. Mais bon, à sa place j'en aurais fait autant. Et puis elle m'embrasse sur la joue et dit « pardon mon ange ». Je ne lui en veux pas. Dans le miroir, je porte sur mon dos deux ailes immenses. Soudain, un autre miroir s'ouvre et un vieux monsieur à barbe blanche apparaît en costume gris, chapeau en feutre gris sur la tête, sa main sur une canne. À sa suite, un cheval avec une selle sur son dos comme dans les films de cow-boys. Ce cheval-là est immense. Le vieux monsieur se présente en ôtant son feutre gris. Il s'appelle Robert et son cheval, Tour de Rein. Le vieux monsieur dit qu'il est mon grand-père et qu'il est content de me rencontrer. Il revient du Nicaragua pour faire une surprise à Lola avant qu'elle n'épouse Fortuné. Il est au courant de tout. Il sait quand elle déménage, quand apparaît un fiancé fumeur de pipe ou de cigarettes ou quand le forain, à force de tourner autour, a fini par l'étourdir. Tour de Rein s'est couché près de nous. Il prend de la place. Il pose sa tête sur son reflet et souffle avec son museau. Ça fait de la buée sur le miroir. Mon grand-père me dit que, s'il avait su que j'aimais à ce point les petits chevaux, il serait venu avec son écurie et on aurait fait une partie avec des vrais chevaux. Mon grand-père sort un cigare d'une jolie boîte en argent. Il le roule entre ses doigts, le respire comme si c'était une fraise Tagada, en coupe le bout avec ses dents puis le porte à sa bouche. De l'autre main, il brûle l'embout avec une longue allumette qu'il fait disparaître. La fumée, comme la buée de Tour de Rein, fait un cadre autour des miroirs. Des serveurs surgissent des miroirs avec une table immense, des chaises hautes, et des grands chandeliers. Ils portent tous un chapeau rouge en forme de cloche. Leurs oreilles sont aussi grandes que celles de Georges. Ils ont aussi des assiettes blanches, des couverts en argent, de grands verres en cristal et des plats d'ailes de poulet et de salades vertes avec des petites herbes dessus. Même Tour de Rein a l'air content de s'asseoir en bout de table, ses pattes avant entre une fourchette et un couteau en argent. Mon grand-père s'est assis à côté de moi. Il a posé sa main sur la mienne. Elle est pleine de taches, ridée comme la pomme de Lola oubliée au fond du frigidaire. De l'autre côté, maman avec ses lunettes noires me dit qu'on finira la partie de petits chevaux après le déjeuner. Je sais bien qu'on ne finira rien ensemble. On a déjà si peu commencé tous les deux. Je me lève de table. Un miroir s'est ouvert et je ne vois personne derrière. Maman dit qu'on ne se lève pas de table sans permission, mais je ne l'écoute pas. Je sais qui est derrière ce miroir. Et ce n'est pas maman qui va m'empêcher de revoir Lily. Elle est assise sur un tabouret et mange une pomme rouge en sucre. Elle me sourit. Je lui demande pourquoi elle ne vient pas déjeuner avec nous. Elle me dit qu'il y a un vivant parmi les morts. Elle me dit aussi que mes ailes d'ange me vont bien. Elle laisse tomber sa pomme rouge en sucre qui disparaît dans sa chute. Elle tend sa main. Je l'attrape comme si je me noyais. Lily m'attire tout près d'elle, nos deux nez se touchent.

Je sens son souffle. Sa bouche est sur la mienne.
Je pose mes doigts sur ses petites joues. Lily s'écarte
légèrement. Elle me regarde encore. Ses yeux violets
me connaissent bien. Ils n'ont plus à me transpercer.
Lily ouvre sa main. Sur la paume elle a écrit « je
t'aime ». Puis elle se laisse tomber à la renverse du
haut de son tabouret et disparaît dans sa chute
comme la pomme rouge en sucre.

Papa conduit sa 206 CC d'une main. L'autre tient
une Marlboro rouge qu'il porte à ses lèvres avant
de souffler la fumée par sa vitre ouverte. Comme
ça, je ne disparais pas dedans. Je suis assis à côté,
avec la ceinture bien attachée. Je regarde papa qui
regarde devant lui. Quand on ne conduit pas, on
peut tout faire. Fermer les yeux et rêver. Compter
les voitures blanches ou le nombre de chapeaux
que les gens portent sur leur tête. Se dire : si papa
passe au feu orange, j'aurai droit à quatre boules
de glace. Et papa vient de passer à l'orange. Imaginer que tous les immeubles qu'on dépasse sont
en carton. Un côté face pour les voir, un côté pile
pour les faire tenir debout. Que tous les gens ne
sont pas réels. Que des tas de Luigi, Carole ou
Edmond se promènent parmi les vivants sans que
personne ne s'en rende compte.

Le panier de Georges est sous mes pieds.
Georges me lèche les chevilles. Des fois, je le porte
à la vitre et Georges n'en perd pas une miette. Ses
grandes oreilles s'envolent, ses yeux se ferment,
son museau respire toutes les odeurs. Je me
demande si Georges voit ce que je vois ou si les
couleurs ne sont pas les mêmes. Je pose la question à papa qui ne sait pas et me promet de s'infor-
mer plus tard sur Internet. En tout cas, Georges
reconnaît ses copains les autres chiens tenus en

laisse et leur dit bonjour en langage chien. Papa se gare en double file et appelle Marianne. Il dit « on est en bas ! » et il rigole. Je ne vois pas ce qu'il y a de drôle. Des fois je me demande si papa est guéri. On est avenue Rapp. On voit la tour Eiffel tout éteinte. La dame en fer n'a pas encore mis ses habits de lumières comme les Black Eyed Peas au stade de France. Marianne et Alice sortent de l'immeuble. Celui-là est un vrai. Pas de côté pile pour le faire tenir debout. Papa fait un signe avec sa main. Marianne a reconnu la 206 CC de papa et moi qui lui sourit. Elle dit « quelle chaleur » à la voiture et elle m'embrasse en se faisant petite. Alice m'embrasse aussi et je lui tends Georges qu'elle embrasse sur le museau. Georges remue la queue. Il est content. Papa jette un œil dans le rétroviseur et redémarre la voiture. Marianne et Alice se sont assises à l'arrière, sans ceintures pour s'attacher. Je les envie. Surtout Alice qui se colle à mon siège et pose ses mains sur mes épaules. Je respire son parfum, des fleurs, mais pas les mêmes que Lola. Des fleurs des champs un peu sauvages qui se cachent sous les arbres pour ne pas être cueillies. Papa nous conduit à l'île Saint-Louis où on mange les meilleures glaces du monde. Je ne vois pas pourquoi ça s'appelle l'île Saint-Louis. La mer n'est pas tout autour. Pas de sable chaud ni de trous profonds à creuser. Juste la Seine et son eau noire où je ne mettrais pas un orteil. J'aurais trop peur de me le faire croquer. Juste des rues aux trottoirs gris pour remplacer le sable brun. Et impossible de s'agenouiller sans risquer d'être bousculé par des tas de gens pas pressés à se demander s'ils savent vraiment où ils vont. Papa a trouvé une place par hasard. Alice me tient la main. Elle dit qu'elle n'a pas vu sa maman aussi heureuse depuis longtemps. Je l'interroge pour savoir si sa maman rigole aussi tout le temps. Alice soupire. Elle dit : « Ton père aussi ? » Je soupire. Les gens heureux rigolent tout le temps. Et on appelle ça des grandes personnes. Alice voit son papa autant qu'elle veut depuis deux ans. Mais elle ne veut pas autant que ça. À cause de la dame, la nouvelle qui s'appelle Betty, une blonde qui rit bêtement quand son papa lui offre des vêtements ou des sacs ou des chaussures. Des fois, papa l'appelle pour venir se coucher et c'est comme s'il parlait à un Coca zéro. Je demande à Alice pourquoi son papa est avec une blonde qui a des bulles à la place du cerveau. Alice soupire. Elle me dit que les papas, des fois, font plus de bêtises que leurs enfants. Elle est triste de quitter son papa quand vient la fin du week-end, mais si heureuse de retrouver sa maman, qui veut toujours savoir comment ça s'est passé. Et, chaque fois, Alice lui ment. Elle invente un dîner aux bougies avec son papa et une dame un peu moche et très gentille qui n'aime rien et laisse tout dans son assiette. Dans les yeux de Marianne, Alice voit bien la revanche d'une femme abandonnée depuis deux ans pour des dames un peu moches et très gentilles qui n'aiment rien. Alice a même prévenu son papa, au cas où sa maman aurait l'idée de l'appeler. Mais Marianne ne demande plus rien à son ex. Alice dit aussi que son papa est généreux avec sa maman et que si elle voulait elle pourrait ne plus travailler. Mais Marianne ne veut pas d'une vie où elle ne ferait rien. Elle aime sa boutique de cachemire et les clients qui se confient à elle en achetant un pull. Marianne ne compte plus les amoureux, les changements de vie, les départs en week-end ou en vacances, les gagnants du loto sur trois numéros, les ruptures, les maris menteurs, les nouveaux jobs, les démissions, les femmes trompées, qui sont entrés dans son magasin. Tous ces bouts de vie forment un puzzle sans fin que Marianne aime compléter. Sa vie, avant notre rencontre à Santa Cruz, était sans trop de surprise. Elle aime ses voyages avec Alice. Une idée de son mari pour changer d'air et ne plus penser autant à lui. Une bulle d'air pour disparaître loin de Paris, loin de lui. Et tant pis si Marianne se satisfait des mensonges d'Alice et qu'elle croit aux femmes un peu moches et très gentilles qui n'aiment rien, sinon passer des soirées avec son ex-mari et peut-être davantage. Partout où Marianne est partie avec sa fille, elle n'a pas croisé les yeux d'un seul homme comme on regarde celui avec lequel on aimerait partager sa vie. Alors Alice l'a fait pour elle. Quand elle nous a vus tous les deux sur la plage de Santa Cruz, elle a compris qu'il était temps d'aider sa maman. Alice nous a bien observés avant de venir vers moi. Elle trouvait que papa avait des yeux doux et clairs dans lesquels Marianne aimerait se découvrir. Une douceur autre que le cachemire. Plus profonde. Et puis un petit rien de solitude chez papa qui lui faisait penser que, peut-être, maman nous avait quittés pour un homme un peu moche et très gentil qui n'aimait rien. Alice n'avait pas imaginé qu'elle en profiterait davantage en me rencontrant. Un vrai copain de son âge. Presque un frère. Pour grandir ensemble.

Nous sommes assis tous les quatre dans ce café de l'île Saint-Louis qui propose les meilleures glaces du monde. Georges est sur mes genoux et dort dans un nuage de voix tout autour de nous. Alice choisit un sorbet. Elle n'a pas le droit aux glaces à cause de ses allergies. Moi, je commande quatre boules. Papa est trop occupé à raconter des tas de choses à Marianne. Il n'a rien entendu. Sans

le feu et la 206 CC passée à l'orange, je n'aurais
pas osé commander quatre boules. Vanille. Fraise.
Chocolat. Citron. Et, quand papa s'en est rendu
compte, il a ouvert la bouche pour dire un truc
pas gentil, mais Marianne a posé sa main sur celle
de papa et le truc pas gentil a été aussitôt avalé.
Comme ma première cuiller de glace à la vanille.
Je le regarde comme un ange que je ne suis pas.
Dans le miroir en face, je vois bien que je n'ai plus
mes ailes.

C'est la nuit. Au-dessus du château, quelque part près de Fontainebleau, tous les anges ont allumé leur téléphone portable. Le ciel brille de mille étoiles. Je les regarde avec Alice. Je sens les petits cailloux de l'allée sous mes chaussures noires cirées par papa. Je ressemble à une image bien sage. Une image en costume gris avec des petites rayures blanches. J'étouffe un peu là-dedans. Surtout la cravate sur ma chemise blanche que je desserre un peu. Elle m'étrangle. C'est bizarre, les mariages. Tout le monde s'habille avec des vêtements tout neufs et les range ensuite dans un placard dans une belle housse noire jusqu'à la prochaine fois. Si le mariage a lieu dix ans plus tard, il faut tout racheter. En plus, je n'irai pas à l'école en costume et, quand je retournerai à la Foire du Trône, pas question de m'étrangler avec une cravate. Surtout que je suis passé en CM2. Pour le mariage de Lola et Fortuné, tous les invités se sont bien habillés. Et des invités, il y en a. Où étaient tous ces gens avant ? Je ne les ai jamais vus. J'ai du mal à reconnaître le monsieur à casquette du trampoline élastique tout serré dans son costume bleu marine avec une chemise blanche qui ne l'est plus. Trop de mariages, sans doute. Et puis il lui manque un bouton au col. Ça ne se voit pas trop à cause de la tache qu'il a faite en mangeant le dessert, une part de la pièce montée, pleine de chantilly avec des mûres, des fraises, de la meringue et le coulis de fruits qui a préféré sa chemise à sa bouche. En plus, le monsieur à casquette ne la porte pas ce soir-là. Je l'ai reconnu à cause de ses grosses moustaches qui ont adoré la crème chantilly.

Alice me prend la main. Je sais qu'elle a envie de retourner danser. Moi aussi. Mais je voulais respirer l'air du dehors et voir les étoiles.

Dans les châteaux, il y a beaucoup d'escaliers. Maman n'aurait pas aimé se trouver là. Cela lui aurait rappelé de mauvais souvenirs. J'entraîne Alice à l'intérieur du château. La musique entre en nous. Au centre de la piste, Lola et Fortuné sont si serrés l'un contre l'autre que personne ne peut les séparer. La couronne de fleurs blanches est un peu de travers sur la tête de Lola. Elle a coupé ses cheveux roux courts pour se marier. Elle porte une belle robe blanche avec plein de dentelles. Et une bague en or à son doigt, son nom et celui de Fortuné gravés à l'intérieur. Rien à voir avec les bijoux très moches en vitrine à la cafétéria de Sainte-Anne. Elle a peint ses ongles de pieds en blanc. Et fait valser ses chaussures avec celles des sorcières que j'ai à peine reconnues. Elles ont fait la surprise à Lola. Elles sont toutes allées chez le même coiffeur et ont acheté les mêmes vêtements. Un tailleur blanc, des escarpins blancs, un petit chapeau blanc avec une voilette. Depuis qu'elles dansent toutes autour de Lola et Fortuné, elles ont balancé leurs souliers et leurs petits chapeaux blancs à voilette. En les regardant par deux, on dirait des jumelles. Et personne ne danse comme les sorcières. Je sais qu'elles s'entraînent souvent, et pas seulement chez Lola. Je sais aussi par Patricia que si papa danse aussi bien c'est grâce à elles toutes. Et qu'il était bien meilleur élève à leurs cours qu'à l'école. Violette m'a avoué qu'il lui était impossible de passer une journée sans danser. Rose m'a dit qu'elle m'emmènerait un jour dans le club où elles dansent souvent jusqu'au petit matin. Un jour. Je ne vais pas les compter. Ça doit faire beaucoup avant d'être assez grand pour y aller. Fortuné ressemble au monsieur Loyal du cirque, mais en plus classe. Pas besoin d'aller sur Internet pour comprendre ce qu'est un costume en queue-de-pie. Ni le haut-de-forme qui a rejoint la montagne de chaussures et de petits chapeaux à voilette. La veste de son costume habille une chaise. Le nœud papillon est défait. Ses mains immenses sont posées sur le bas du dos de Lola comme endormies. À son doigt, une bague en argent avec son nom et celui de Lola gravés à l'intérieur. Papa est déchaîné. Il a gardé son beau costume et fait tourner Marianne comme une toupie pour mieux la faire revenir dans ses bras. Alice ferme les yeux quand elle danse. Je devrais lui demander si elle en profite pour rêver. Depuis le rêve des miroirs, je n'ai plus fermé les yeux, sinon pour dormir. Pourquoi rêver alors que toutes ces belles choses existent sous mes yeux grands ouverts ? Je retire les lacets de mes chaussures noires bien cirées. J'envoie mes chaussures au sommet de la montagne. Lola me lance un clin d'œil. Je le lui rends.

Je bouge mes fesses et mes jambes tricotent un pull en cachemire si vite qu'il sera fini avant la fin de la soirée. Jennifer Lopez chante des tas de trucs en anglais que je ne comprends pas. Mais pour danser, à quoi servent les mots ? Mon regard se pose sur une table basse. Dans une assiette, une pomme rouge en sucre à moitié croquée. Impossible pour Lily de venir jusqu'ici. Trop de grandes personnes. Et puis Alice est si gentille avec moi que j'en oublie Lily. Pardon Lily. Alice ferme les yeux et danse autour de moi. Comment fait-elle pour ne pas se faire bousculer ? J'aimerais attraper son rêve et savoir si je suis dedans. Je n'aime pas quand Alice ferme les yeux. Elle pourrait bien être très loin, dans un de ces pays où elle allait avec sa maman. J'en ai assez de tout ce qui est trop loin de moi, sans que je puisse l'atteindre. Alice, s'il te plaît, ouvre les yeux. Je suis là. Je te regarde danser. Et, comme si Alice avait entendu ma pensée, elle ouvre les yeux, un peu étourdie par le long sommeil sous ses paupières. Elle vient pourtant vers moi d'un pas décidé avec un air qui m'impressionne. Elle dit : « Simon Ravine, j'ai envie de danser avec toi. »

Note de l'auteur

Je remercie Judy et Sean Barron dont la lecture de leur impressionnant livre de témoignage *Moi, l'enfant autiste* (éditions Plon) m'a donné l'idée de créer le personnage de Lily. Je ne remercierais jamais assez Laurent C. d'avoir été là dans mes années noires et d'être resté malgré tout. Il est mon ange gardien. Je sais tout ou presque de la DS grâce à Milan. Merci à lui. Enfin, mon éditrice, Stéphanie Chevrier, ce bon docteur Chevrier qui a su par ses paroles réconfortantes et ses remarques judicieuses me faire accoucher de ce troisième roman.

10574

Composition
NORD COMPO

Achevé d'imprimer en Espagne
par BLACKPRINT CPI IBERICA
le 8 décembre 2013.

Dépôt légal décembre 2013.
EAN 9782290058817
OTP L21EPLN001325N001

ÉDITIONS J'AI LU
87, quai Panhard-et-Levassor, 75013 Paris

Diffusion France et étranger : Flammarion